Célébration
des âges
et des saisons

Benoît Lacroix

Célébration des âges et des saisons

Photos de Gilles Chamberland

ANNE
SIGIER

Édition	Éditions Anne Sigier
	2299, boul. du Versant-Nord
	Sainte-Foy (Québec)
	G1N 4G2
	(418) 687-6086
	Éditions Anne Sigier – France
	28, rue de la Malterie
	B.P. 3007
	59703 Marcq-en-Barœul
	20.74.00.05
Mise en pages	Jimmy Lavoie
Dépôt légal	Bibliothèque nationale du Québec
	Bibliothèque nationale du Canada
	3e trimestre 1993
ISBN	2-89129-204-9

AVANT-PROPOS

Petit livre d'amour et d'amitié.
Amour pour les âges et les saisons.
Amitié pour toute personne qui y trouvera son profit.

C'est simple. Quelques paroles pour aider à penser.
Quelques suggestions musicales pour faire aimer les âges et les saisons.
Surtout le désir d'une méditation gratuite, ample et généreuse.
Dans la plus stricte intimité.
Ou en assemblée.

Enfance – Adolescence

MUSIQUE

ÉVOCATION DE L'ENFANCE

Des mains à tout prendre,
des sourires aux anges,
des yeux en quête de nuages,
des mots qui n'en sont pas...
Il veut se rendormir.
« C'est mon bébé, il a trois mois ! »

Sur le terrain mouvant de ses premiers pas,
il prend de l'expérience.
Déjà la vie le harcèle !
Le voici de plus en plus actif :
à genoux, debout,
marchant, glissant,
montant, descendant, passant ici et là,
ouvrant les tiroirs, activant le téléviseur,
décrochant le téléphone,
renversant un panier ou même tirant la nappe.
« C'est mon enfant, il a deux ans ! »
        Petit génie d'amour !

Il parle, bavarde, questionne,
donne les réparties les plus inattendues,
apprend ses lettres et défile ses séries de chiffres.
L'ordinateur ? Qui sait ?
Peut-être même s'acharne-t-il
        à pleines mains au piano,
voulant toutes les notes à la fois,
les noires, les blanches.
Rien ne l'arrête : il est la vie !
        À quatre ans, quelle merveille !

Et à six ans ? Et à dix ans ?
        Un papillon à attraper,
        une toupie à lancer,
        un oiseau à chasser,
        un cerf-volant à dérouler,
        des tunnels à creuser sous la neige,
                dans le sable.

11

Joie de jouer! paradis des libertés!
Et surtout n'allez pas mettre
    un pied dans la chambre
On ne sait jamais
    ce qui peut être dans ce coin
Et si vous n'allez pas écraser la plus chère
    des fleurs invisibles...
Ne me dérangez pas
    je suis profondément occupé

Un enfant est en train de bâtir un village
C'est une ville, un comté
Et qui sait
tantôt l'univers

Il joue

                          Saint-Denys Garneau

Il joue! Il joue! Qui pourrait le suivre dans toutes ses façons de recréer l'univers et d'y imaginer la découverte des plus beaux trésors?

C'est facile d'avoir un grand arbre
Et de mettre au-dessous une montagne
    pour qu'il soit en haut...

Tout le monde peut voir
    une piastre de papier vert
Mais qui peut voir au travers
    si ce n'est un enfant
Qui peut comme lui voir au travers
    en toute liberté
Sans que du tout la piastre l'empêche
    ni ses limites
Ni sa valeur d'une seule piastre
Mais il voit par cette vitrine
    des milliers de jouets merveilleux
Et n'a pas envie de choisir
    parmi ces trésors
Ni désir ni nécessité
Lui
Mais ses yeux sont grands
    pour tout prendre

                          Saint-Denys Garneau

Puis il part à l'école, en riant, en criant ou en pleurant... Il ne sera plus jamais le même. Plus jamais.

On croit que les enfants ne savent rien.
Et que les parents et les grandes personnes
*   savent quelque chose.*
Or, je vous le dis, c'est le contraire.

Et ce sont les enfants qui savent
Tout.
Car ils savent l'innocence première,
Qui est tout...

Heureux celui qui resterait comme un enfant,
Et qui, comme un enfant, garderait
Cette innocence première.

Heureux non pas même,
*   non pas seulement celui*
Qui serait comme un enfant,
*   qui resterait comme un enfant.*
Mais proprement heureux celui
*   qui est un enfant, qui reste un enfant.*
Proprement, précisément
*   l'enfant même qu'il a été.*
Et le royaume du ciel
*   n'est pas à un moindre prix.*

Charles Péguy

13

MUSIQUE

ÉVOCATION DE L'ADOLESCENCE

À cinq ans, le monde est une maison
le ruisseau est un chenal.

À huit ans, le monde est un pays
le chenal est un fleuve.

À douze ans, le monde est un continent
le fleuve est un océan.

L'enfance et l'adolescence,
l'une à l'autre soudées
    comme l'aurore au matin,
le bouton à sa fleur.

Et la vie appelle :
    Je veux partir
    Je veux sortir
    Je veux danser
    Je veux aimer
    Laissez-moi ma vie !

    J'ai quatorze ans
    Je suis bien grand
    À moi le temps
    À moi le vent
    Vive l'océan !

C'est un oiseau
Il n'est plus là

Il s'agit de le trouver
De le chercher
Quand il est là

Il s'agit de ne pas lui faire peur
C'est un oiseau
C'est un colimaçon

Il ne regarde que pour vous embrasser
Autrement il ne sait pas quoi faire
  avec ses yeux
Où les poser
Il les tracasse comme un paysan sa casquette

Il lui faut aller vers vous
Et quand il s'arrête
Et s'il arrive
Il n'est plus là

Alors il faut le voir venir
Et l'aimer durant son voyage

Saint-Denys Garneau

MUSIQUE

ÉVOCATION

Comment expliquer aux grandes
personnes pour qu'elles ne soient pas déçues?

De l'amour de la tendresse
qui donc oserait en douter
Mais pas deux sous de respect
pour l'ordre établi
Et la politesse et cette chère discipline
Une légèreté et des manières
à scandaliser les grandes personnes
Il vous arrange les mots comme si c'étaient
de simples chansons

Et dans ses yeux on peut lire
son espiègle plaisir
À voir que sous les mots
il déplace toutes choses
Et qu'il en agit avec les montagnes
Comme s'il les possédait en propre.
Il met la chambre à l'envers
et vraiment l'on ne s'y reconnaît plus
Comme si c'était un plaisir de berner les gens

Saint-Denys Garneau

Comment supporter ses chansons
et ses rythmes
    ses intuitions et ses passions
    ses doutes et ses questions
    ses réponses carrées
       et ses mots fractionnés
    ses pensées, ses cris
    ses appels désespérés
    ses joies sans raison
    ses rages sans provocation ?
    D'où vient ce goût
    d'alerter toute la maisonnée ?

Cher adolescent !
    tu vas, tu viens,
    tu arrives, tu es déjà parti.
    Comment te retenir ?
    Quel est ton pays ?
    Où est-il ton univers ?

MUSIQUE

ÉVOCATION

Premières amours! Premiers chagrins!
    Il a suffi d'un regard,
    ils se sont aperçus,
    ils sont partis au jardin.
    Douceur du premier baiser!

    À peine éveillée au jour,
    la rose a voulu être cueillie,
    mais la tige a résisté.
    Amertume du premier chagrin!

    «Amour, que me veux-tu?»

Rien à comprendre!

    À dix heures, elle boude.
    À quinze heures, elle chante.
    Qui sait pourquoi?

Elle pleure toutes les larmes de ses yeux;
    elle bouscule chaises et tiroirs...
Aussitôt raccordée, elle saute,
    elle danse à faire chavirer les étoiles.

Non papa, non maman!
Je ne suis plus un enfant.
Aujourd'hui, l'amour m'attend:
il a jolis souliers blancs,
belle robe et beaux gants.
Laissez-moi, j'ai seize ans!
    Je veux chanter.
    Je veux rêver.
    Je veux aimer.

MUSIQUE

ÉVOCATION BIBLIQUE

Les livres sacrés n'hésitent pas à célébrer ensemble l'enfance et l'adolescence. Associées depuis toujours comme la rivière à sa source, comme la jeune pousse à sa racine, ne sont-elles pas, toutes les deux, joie et espérance de Dieu quand elles « marchent selon les voies de son cœur » et « selon la vision de ses yeux ».

Cf. Qo 11, 9

Quel âge avait David, le plus jeune des fils de Jessé, quand, « fronde à la main », il abattit le géant Goliath ?

Cf. 1 S 17, 40-54

Quel âge avait Joseph quand il sauva ses frères qui l'avaient tristement jalousé ?

Cf. Gn 45-47

Quel âge pouvait avoir le petit Samuel, dont on dit qu'il trouva grâce devant Dieu et les siens pour ensuite grandir « en taille et en beauté » ?

Cf. 1 S 2, 26

Quel âge pouvait bien avoir la fille de Jaïre quand Jésus la réanima ?

Cf. Mt 9, 23-25

Est-il besoin de le rappeler : le plus étonnant enfant de l'histoire, l'incomparable enfant s'appelle Emmanuel, Jésus de Dieu ?

Il vous est né aujourd'hui, dans la ville de David, un Sauveur qui est le Christ Seigneur ; et voici le signe qui vous est donné : vous trouverez un nouveau-né emmailloté et couché dans une mangeoire.

Lc 2, 11-12

Cet enfant grandira et viendra à son tour rejoindre la grande famille de tous les adolescents et adolescentes de l'histoire dont la Bible aime tellement se souvenir.

Au livre de *Zacharie* (8, 4-5), la Parole du Seigneur annonce qu'un jour « vieux et vieilles s'assiéront sur les places de Jérusalem » et ces places seront remplies de petits garçons et de petites filles qui s'y amuseront.

Déjà, vers 500 avant J.-C., Isaïe le prophète annonçait qu'un petit garçon mènerait ensemble le loup et l'agneau, le léopard, le veau et le lionceau.

Cf. Is 11,6

Il avait douze ans, ce Jésus dont Luc l'évangéliste raconte qu'un jour il fut retrouvé au Temple et qu'ensuite « il grandissait et se fortifiait, tout rempli de sagesse ».

Cf. Lc 2, 40

Devenu adulte et prédicateur, Jésus aimera célébrer les mérites et les vertus de l'enfance :

Celui qui se fera petit comme cet enfant, voilà le plus grand.

Mt 18, 4

Laissez les enfants venir à moi, ne les empêchez pas.

Mc 10, 14

Si vous ne retournez à l'état des enfants, vous ne pourrez entrer dans le royaume des cieux.

Mt 18, 3

Quiconque accueille un petit enfant à cause de mon Nom, c'est moi qu'il accueille.

Mt 18, 5

Le désir profond de Dieu, c'est que nous soyons, chacun, chacune, enfants de son amour et jeunes de son infinie tendresse : « Voyez de quel grand amour le Père nous a fait don, que nous soyons appelés enfants de Dieu ; et nous le sommes ! »

Cf. 1 Jn 3, 1

Quel père parmi vous, si son fils lui demande un poisson, lui donnera un serpent au lieu de poisson ? Ou encore s'il demande un œuf, lui donnera-t-il un scorpion ? Si donc vous [...], vous savez donner de bonnes choses à vos enfants, combien plus le Père céleste donnera-t-il l'Esprit Saint à ceux qui le lui demandent.

Lc 11, 11-13

MUSIQUE

PSAUME

Ô Seigneur, notre Dieu,
qu'il est grand ton nom par toute la terre !

Au-dessus des cieux ta majesté,
     que chantent des lèvres d'enfants,
     de tout-petits [...]

À voir ton ciel, ouvrage de tes doigts,
la lune et les étoiles que tu fixas,
qu'est donc le mortel,
     que tu en gardes mémoire,
le fils d'Adam, que tu en prennes souci ?

Ô Seigneur, notre Dieu,
qu'il est grand ton nom par toute la terre !

Ps 8, 2-5

PARABOLE

Il en est de l'enfant, dirait Jésus, comme d'une graine de marguerite. Toute petite dans la main de celui ou de celle qui la porte au jardin, elle deviendra, une fois mise en terre et dans une terre bien meuble, une tige ! Dans un mois ou à peu près, la voici une des plus belles fleurs du jardin. Elle est si belle que tous les gens d'alentour viennent la visiter, rien que pour la voir, aimer la voir.

Ainsi en est-il de mon royaume : petit au commencement, peu à peu grandissant, il deviendra tellement grand qu'à la fin tous les enfants du monde s'y trouveront en communion, comme à la maison.

Prière

Dieu de cet univers aux multiples faces,
toi qui permets la tendresse ingénue des tout-petits
et les fantaisies interminables des adolescents,
montre-nous comment tu es toi-même création
et invention.

Tu as envoyé un jour ton Fils, enfant
à Bethléem, adolescent à Nazareth ; aide ces
enfants de la promesse à rêver plus beau, plus large
et plus vaste que l'univers.

Fais qu'inspirés par ton Esprit nous devenions
tous ensemble des êtres de risque et d'avenir.
Qu'en nous renaisse et grandisse sans cesse
l'amour. Que nos goûts de vivre, de rire et de
chanter soient comme autant d'appels à franchir
les étapes qui mènent à tes demeures éternelles.

Amen.

MUSIQUE

PRIÈRE UNIVERSELLE

Dieu qui, « par le bonheur des tout-petits et des nourrissons », réjouis l'univers, Dieu créateur de vie et de tendresse, que monte maintenant vers toi la supplication de tous tes enfants de la terre.

Nous te prions pour les enfants qui vont naître aujourd'hui, afin qu'ils aient du pain, de l'amour et des cœurs à aimer.

Réponse : Seigneur, protège tes enfants.

Nous te prions pour les enfants baptisés dans la foi au Christ, afin que leur soient accordées protection, croyance et affection.

Nous te prions pour tous les enfants blessés par la guerre, la famine, les folies adultes; pour les enfants éloignés de leurs parents, orphelins ou victimes des misères de notre temps, afin que, par leurs souffrances, l'humanité réapprenne les chemins de l'amour.

Nous te prions pour tous les adolescents du monde, afin qu'ils découvrent à même la vie les valeurs de droiture, de bienfaisance et de bonté.

Nous te prions pour les adolescents marqués par les abus de confiance et de pouvoir, afin qu'ils trouvent des maîtres et des sages qui les orientent et les assistent.

PRIÈRE

Ô Dieu, toi qui, un jour, te fis enfant et grandis parmi nous en la personne bien-aimée de Jésus, inspire-nous d'offrir aux enfants et aux adolescents des conditions favorables à l'épanouissement de leur être et à l'équilibre de leur vie. Qu'ils trouvent de nouvelles réponses à leur quête spirituelle. Qu'à travers les expériences des aînés ils apprennent le jeu et la pratique des valeurs qui font les peuples forts et consciencieux. Nous te le demandons par Jésus de Nazareth qui est avec toi et le Saint-Esprit, pour les siècles des siècles.

Amen.

ACTION DE GRÂCE

Vraiment, il est bon et il est juste de te louer, Seigneur Dieu, pour tant de bonté, tant d'audace et tant d'énergie chez les enfants et les adolescents, fleurs de ta création. Tu as mis l'amour en leur cœur, la vie en leur corps, des éclairs dans leurs yeux. Ils sont ton œuvre. Ils sont à ton image. Tu as déposé en ce petit homme, en cette petite femme, ce qui fera demain le meilleur de l'humanité.

Sois béni de ce que tant d'enfants et tant d'adolescents de notre temps s'éveillent à la solidarité internationale et cosmique, en même temps que se succèdent en eux, à un rythme merveilleux, naissance et renaissance, vie et promesse, spontanéité et rapides réflexes. Il est bon de te remercier enfin à cause de tout l'amour apporté par l'enfant de Bethléem qui, adolescent à Nazareth, s'initie à ce qu'il appelle si tendrement « les affaires de mon Père ».

MUSIQUE

NOTRE PÈRE

Avec les enfants et les adolescents de toutes les communautés chrétiennes, disons la plus universelle des prières : *Notre Père*.

MAGNIFICAT

Par l'intercession de la jeune Marie de Bethléem et de Nazareth, que monte la prière de tous les enfants et adolescents du monde.

Mon âme exalte le Seigneur,
et mon esprit s'est rempli d'allégresse
à cause de Dieu, mon Sauveur,
parce qu'il a porté son regard
sur son humble servante.

Oui, désormais, toutes les générations
me proclameront bienheureuse,
parce que le Tout-Puissant

a fait pour moi de grandes choses ;
saint est son Nom.

Sa bonté s'étend de génération en génération
sur ceux qui le craignent.

Il est intervenu de toute la force de son bras ;
il a dispersé les hommes à la pensée orgueilleuse ;
il a jeté les puissants à bas de leurs trônes
et il a élevé les humbles ;
les affamés, il les a comblés de biens,
et les riches, il les a renvoyés les mains vides.

Il est venu en aide à Israël, son serviteur,
en souvenir de sa bonté,
comme il l'avait dit à nos pères,
en faveur d'Abraham
et de sa descendance pour toujours.

BÉNÉDICTION

Que nous bénisse le Seigneur, créateur des âges et des temps, de la vie et de la croissance, lui qui est Père et Fils en même temps qu'Esprit, pour les siècles des siècles.

Amen.

MUSIQUE

SUGGESTIONS MUSICALES

– BACH, Johann Sebastian, *Polonaise*, extrait de la *Suite pour orchestre en si mineur*, BWV 1067.
– BRAHMS, Johannes, *Wiegenlied*, extrait des *Lieder*, op. 49, arr. *(Berceuse)*.
– DEBUSSY, Claude, *Children's Corner*.
– DEBUSSY, Claude, *Le petit nègre*.
– LU NIK, *Suite cosmopolite*.
– MOZART, Wolfgang Amadeus, *Variations sur «Ah! vous dirais-je, maman»*.
– RAVEL, Maurice, *Ma mère l'Oye*.
– SCHUMANN, Robert, *Album für die Jugend*, op. 68.

Jeunesse

MUSIQUE

ÉVOCATION

Inquiets. Fiers. Frondeurs.
Ils nous étonneront toujours.
    L'air les porte, le vent les stimule.
Ils avancent, nous reculons.
Ils improvisent, nous planifions.
    Ah ! les jeunes !

Un cœur à tout aimer.
Des pas à tout danser.
Des chansons, des rires, de jolis mots.
Des désirs à n'en plus finir.
Un corps à tout risquer.
Des passions à tout chavirer.
Jamais assez pour eux.

Ô jeunesse aux grands yeux,
        jeunesse aux cheveux blonds,
    qui poses, dès l'aurore, un pied dans la rosée,
    que ton charme est puissant et doux !
[...]

Et dans le pays vert, où ta grâce ingénue,
sous le baiser d'avril, éclate en liberté,
pleins de ton allégresse et fous de ta beauté,
les oiseaux, par milliers, célèbrent ta venue.
[...]
Comme un lis qui s'effeuille
        au bord d'une fontaine,
ton corps délicieux a la fraîcheur de l'eau.
[...]
Tu ressembles parfois à la biche craintive
qui, l'oreille aux aguets, sent venir le chasseur.
[...]
Telle je t'aperçus pour la première fois
dans le brouillard léger de l'aube qui se lève,
à cette heure où la vie est comme un divin rêve
que traverse un soupir de flûte ou de hautbois.
[...]
Adorable et terrible, éblouissante et douce,
tu m'apparus, JEUNESSE, une rose à la main !

Gabriel Vicaire   31

MUSIQUE

ÉVOCATION

Comment les comprendre ? Pourquoi même les comprendre ? Les accepter serait beaucoup plus simple. Plus fructueux surtout.

Vous pouvez leur donner votre amour,
mais non point vos pensées...

Car leurs âmes habitent la maison de demain,
que vous ne pouvez visiter
pas même dans vos rêves.

Vous pouvez vous efforcer d'être comme eux,
mais ne tentez pas de les faire comme vous.

Car la vie ne va pas en arrière,
ni ne s'attarde avec hier.

Khalil Gibran

Jeunesse du monde qui partout bat la ronde,
    salut à toi !
Fille d'été, broderie du temps qui vient,
rien de beau ne se fait sans que tu y sois.

Tu tisses ta vie à mesure.
Tu es la pensée, tu es l'amour.
Tu es le rêve, tu es l'imaginaire.

Tu as vingt ans. Tout est à toi :
    le ciel, la montagne, l'univers,
l'amour, les routes du firmament,
    de la terre et de la mer.

Fini le cerf-volant.
Maintenant c'est toi qui montes
et qui t'envoles par voies spatiales,
    par atterrissages planétaires.
Rien ne te semble impossible ou trop difficile :
    l'Himalaya, les Rocheuses,
    le Grand Canyon, Mars, Vénus, Neptune.
Tu veux tout voir, tout savoir, tout prendre,
tout aimer.

MUSIQUE

ÉVOCATION

Eh oui ! je suis la jeunesse,
     je suis la folie, je suis l'absolu.
Je suis le matin, je suis l'été.
Je suis vent et nuages.
Je suis rive et rivière.
Je suis soie et papillon blanc.
Je suis demain.
J'ai vingt ans !

Je ne suis pas bien du tout assis
     sur cette chaise
Et mon pire malaise est un fauteuil
     où l'on reste
Immanquablement je m'endors et j'y meurs

Mais laissez-moi traverser le torrent
     sur les roches
Par bonds quitter cette chose pour celle-là
Je trouve l'équilibre impondérable
     entre les deux
C'est là sans appui que je me repose

Saint-Denys Garneau

Pourquoi suis-je si excessif, ému,
    parfois violent?
Pourquoi ce corps-tison prêt à flamber
    au moindre frisson du vent?
Est-ce pour son seul caprice
    que m'a ainsi façonné le ciel?
Suis-je fait pour être heureux?
Qu'est-ce que le bonheur?
Où est le bonheur?
Comment croire au bonheur quand tant
d'événements s'acharnent à me faire douter?

Je m'y accroche.
Malgré tout je continue à croire à la bonté innée de
l'homme.
Il m'est absolument impossible de tout construire sur
une base de mort, de misère et de confusion.
Je vois le monde transformé...

Je compatis à la douleur de millions de gens, quand
je regarde le ciel, je pense que tout redeviendra bon,
que le monde connaîtra de nouveau l'ordre, le repos
et la paix.

En attendant, il s'agit de mettre mes pensées à l'abri,
et de veiller sur elles pour le cas où, dans les temps à
venir, elles seraient peut-être encore réalisables.

Anna Frank

MUSIQUE

ÉVOCATION

Tu m'as fait infini, tel est ton plaisir.
Ce frêle calice, tu l'épuises sans cesse
et le remplis sans cesse à neuf de fraîche vie.

Cette petite flûte de roseau,
tu l'as emportée par les collines et les vallées
et tu as soufflé, au travers,
des mélodies éternellement neuves.

À l'immortel toucher de tes mains,
mon cœur joyeux échappe ses limites
et se répand en ineffables épanchements.
Tes dons infinis, je n'ai que mes étroites mains
pour m'en saisir.

Mais les âges passent et encore tu verses,
et toujours il reste de la place à remplir.

Tagore

MUSIQUE

ÉVOCATION

Jeune fille ou jeune garçon de ce pays,
écoute ton ami à la voix enneigée qui te récapitule
l'espérance des âges.

Tu as été créé pour la vie et la vie t'attend:
grande, vaste, infinie comme la mer.

Au large, consulte les vagues, rame, navigue,
surveille les bouées.

À cœur vaillant, rien n'est impossible.
Le courage conduit aux étoiles.
La fierté grandit en espérant.

Un jour tu aborderas au pays de l'amour.
    Laisse-toi apprivoiser.
– Qu'est-ce que signifie « apprivoiser » ?
– C'est une chose trop oubliée.
    Ça signifie « créer des liens... »
– On ne connaît que les choses
    que l'on apprivoise.
– On ne voit bien qu'avec le cœur.
    L'essentiel est invisible pour les yeux.
– C'est le temps que tu as perdu pour ta rose
    qui fait ta rose si importante.
– Tu deviens responsable pour toujours
    de ce que tu as apprivoisé.
– On risque de pleurer un peu
    si l'on s'est laissé apprivoiser...

Antoine de Saint-Exupéry

ÉVOCATION BIBLIQUE

Il n'est pas étonnant que, dans les textes sacrés, les jeunes représentent – sauf rares exceptions – le don gratuit, l'audace sans calcul et la témérité vertueuse.

Au livre de l'*Exode*, une jeune fille, la fille de Pharaon, sauve celui qui deviendra le père d'un peuple.

Cf. Ex 2, 5-10

Daniel, qui avait jadis choisi de chanter la gloire de Dieu au milieu des lions prêts à le dévorer, prend la défense de la chaste Suzanne.

Cf. Dn 13

Elle est attachante, la fille de Jephté, qui danse au son du tambourin avant de monter à la montagne, pleurant déjà la mort qui l'attend.

Cf. Jg 11, 34-40

Et les pages immortelles du *Deuxième livre des Maccabées*! Comme il a été bien instruit par sa mère, le plus jeune des frères martyrs:

«Pour moi, je livre comme mes frères mon corps et ma vie pour les lois de mes pères, en conjurant Dieu d'être bientôt clément pour notre nation et de t'amener par des épreuves et des fléaux à confesser qu'il est le seul Dieu.

«Je prie enfin que sur moi et sur mes frères s'arrête la colère du Tout-Puissant justement déchaînée sur notre race!»

Hors de lui, le roi sévit contre le dernier frère encore plus cruellement que contre les autres, le sarcasme lui étant amer. Ce jeune homme mourut donc sans s'être souillé et avec une parfaite confiance dans le Seigneur.

2 M 7, 37-40

Les Saintes Écritures, en mots doux et lumineux, saluent le beau visage des jeunes et l'allure ferme d'une passante du pays :

Comme une lampe qui brille sur le chandelier sacré, tel apparaît un beau visage sur un corps bien planté. Des colonnes d'or sur une base d'argent, ainsi de belles jambes sur des talons solides.

Si 26, 17-18

C'est à dessein que la plupart des artistes représentent comme de jeunes messagers du ciel les anges Gabriel et Raphaël. L'un vint au vieillard Tobie, l'autre à la jeune Marie de Nazareth.

Dans les textes du *Cantique des cantiques,* c'est toute la fraîcheur ingénue du jeune amant qui appelle :

*Ma colombe, cachée au creux des rochers,
en des retraites escarpées,
montre-moi ton visage,
fais-moi entendre ta voix ;
car ta voix est douce
et charmant ton visage.*

Ct 2, 14

Il fallait s'y attendre : Jésus trouve des mots fascinants qui, encore maintenant, font battre le cœur des jeunes :

Viens, suis-moi.

Mc 10, 21

Nul n'a d'amour plus grand que celui qui se dessaisit de sa vie pour ceux qu'il aime.

Jn 15, 13

Il y a plus de bonheur à donner qu'à recevoir.

Ac 20, 35

C'est un feu que je suis venu apporter sur la terre, et comme je voudrais qu'il soit déjà allumé !

Lc 12, 49

Jeune homme, je te l'ordonne, réveille-toi.

Lc 7, 14

Au retour de l'enfant prodigue, vite la plus belle robe, un anneau au doigt et des sandales aux pieds !

Cf. Lc 15, 22

Dix jeunes vierges vivent dans l'attente de l'époux qui revient. « Voici l'époux ! sortez à sa rencontre. »

Cf. Mt 25, 1-13

Les fils de Zébédée mériteront d'être royalement traités s'ils veulent bien, à leur tour, donner leur vie pour le salut de la multitude.

Cf. Mt 20, 20-28

Psaume

Que garçons et filles, ensemble, célèbrent
Dieu, Dieu l'Éternel, Dieu l'Immortel, Dieu
à jamais jeune et glorieux.

Rois de la terre et tous les peuples,
princes et tous les chefs de la terre,
jeunes gens, vous aussi jeunes filles,
vieillards et enfants !

Louez le Seigneur depuis les cieux :
louez-le dans les hauteurs ;
louez-le, vous tous ses anges ;
louez-le, vous toute son armée ;
louez-le, soleil et lune ;
louez-le, vous toutes les étoiles brillantes ;
louez-le, vous les plus élevés des cieux,
et vous les eaux qui êtes par-dessus les cieux.

Louez Dieu dans son sanctuaire ;
louez-le dans la forteresse de son firmament.
Louez-le pour ses prouesses ;
louez-le pour tant de grandeur.

Louez-le avec sonneries de cor ;
louez-le avec harpe et cithare ;
louez-le avec tambour et danse ;
louez-le avec cordes et flûtes ;
louez-le avec des cymbales sonores ;
louez-le avec les cymbales de l'ovation.

Que tout ce qui respire loue le Seigneur !

Ps 148 et Ps 150

Prière

    Dieu, créateur et maître de toute existence,
Dieu qui fais rire les fleurs de mai
    et lever la moisson d'été,
Dieu qui sais la course de la plus petite étoile
    et l'arche de l'arc-en-ciel multicolore,
toi dont la toute-puissance
    est force et fidélité,
nous te prions et t'implorons pour tous les jeunes,
afin qu'ils trouvent dans leurs amours souvent
difficiles le chemin du bonheur durable.

    Accorde à ces jeunes le goût des grands
risques, donne-leur la persévérance des longues
durées pour qu'à travers leurs audaces et leurs multiples expériences transparaisse ta tendresse active
et pacifiante.

– Envoie ton Esprit.
– Et la jeunesse en sera renouvelée.

MUSIQUE

ÉVANGILE

Il en est de la jeunesse comme d'une fille qui, au soir de ses quinze ans, vient consulter sa mère pour savoir à qui, pour la première fois, elle donnera son cœur. Est-ce à ce turbulent qui souhaite danser avec elle? Est-ce à ce fils de millionnaire qui lui promet la Floride? Est-ce à ce timide qui veut bâtir une maison pour elle?

« Dis-moi, maman, l'art d'aimer. »

« Il te faudra, ma fille, risquer, un jour ou l'autre, les pas qui te mèneront à la fête. Simple comme une colombe et prudente comme un serpent, il te faudra entrer dans la danse des premières amours: samba, tango ou valse. Ouvre lentement la porte de ton cœur. Pour l'instant, laisse-la entrebâillée. Il en est du royaume de l'amour comme du royaume de Dieu: ‹Étroite est la porte et resserré le chemin qui mène à la vie.› »

Comprenne qui pourra!

PRIÈRE UNIVERSELLE

Dieu d'éternelle jeunesse, pour qui mille années ne sont qu'un jour, nous venons à toi confiants et rassurés par ta condescendance infinie.

Nous te prions pour tous les garçons et toutes les filles, afin que, partout où ils vivent, s'affirment par eux la volonté d'agir et l'art du renouvellement.

Réponse : Seigneur, veille sur les jeunes.

Nous te prions pour tous les jeunes du monde, afin qu'entre eux se créent les liens de la paix et de la fraternité.

Nous te prions pour tous les jeunes sans gîte ni pain, sans foi ni loi, afin qu'ils trouvent un jour du feu et la flamme d'amour qui illuminera leur vie.

Nous te prions pour tous les jeunes en quête d'identité, afin qu'ils croient au meilleur d'eux-mêmes dans la foi et l'espérance en Jésus aimé par-dessus tout.

Nous te prions pour la jeunesse chrétienne des quatre coins de l'horizon, afin qu'elle témoigne de ses convictions dans la fierté et la vérité.

Ô Dieu d'amour qui sais mieux que nous le courage qui habite le cœur des jeunes, enseigne-leur comment ton Fils Jésus, à Nazareth, s'est préparé à vivre dans la solidarité et l'amitié. Montre-leur les chemins qui conduisent au don de la vie et qu'ils trouvent ainsi la paix du cœur ouvert à l'infini.

Amen.

ACTION DE GRÂCE

Vraiment, il est bon, il est juste de te louer, Seigneur, source de tant d'énergie et de promesses. Les jeunes sont à la fois réalité et parabole de nos vies ; leur audace autant que leur témérité nous ensorcellent ; leur courage, quand viennent les moments difficiles, n'a guère d'équivalent au monde. Aussi voulons-nous te remercier de cette vigueur que tu as déposée dans leur cœur et de cette générosité que tu as mise en leur âme pour les causes les plus exigeantes.

Sois loué pour leur liberté d'esprit dans la recherche du meilleur. Cette quête d'absolu n'est-elle pas le signe même que tu les prédisposes au dépassement et à la ferveur du tout pour le tout ?

Sois loué pour les bonnes paroles des Saintes Écritures à leur endroit. N'est-ce pas toi, Seigneur, maître du temps et des âges, qui les invites à suivre les voies de leur cœur et les désirs de leurs yeux ? Toi seul sais vraiment à quel point la beauté et la pureté des jeunes sont des reflets de ton amour.

Sois particulièrement loué pour le jeune Jésus, qui vécut dans l'espérance de donner un jour sa vie à la réalisation de ton alliance. Ce travailleur manuel, tout adonné « aux choses de son Père qui est aux cieux », fut, en compagnie de Marie, sa sainte et unique mère, un fils selon ton cœur : ardent, priant, disponible pour l'Heure mystérieuse de ton choix.

Béni sois-tu à jamais pour tant de divine bienveillance !

NOTRE PÈRE

Quel jeune baptisé, fille ou garçon, n'a pas entendu un jour ou l'autre, ou même appris par cœur, la prière venue de la toute première mémoire chrétienne: *Notre Père qui es aux cieux...*

MAGNIFICAT

Avec les jeunes, jeunes d'âge, jeunes de cœur, et avec Marie, la fiancée de Nazareth, chantons le mystère de l'avenir dans la pleine confiance en Dieu:

Mon âme exalte le Seigneur
et mon esprit s'est rempli d'allégresse
à cause de Dieu, mon Sauveur,
parce qu'il a porté son regard
sur son humble servante.

Oui, désormais, toutes les générations
me proclameront bienheureuse,
parce que le Tout-Puissant

a fait pour moi de grandes choses;
saint est son Nom.

Sa bonté s'étend de génération en génération
sur ceux qui le craignent.

Il est intervenu de toute la force de son bras;
il a dispersé les hommes à la pensée orgueilleuse;
il a jeté les puissants à bas de leurs trônes
et il a élevé les humbles;
les affamés, il les a comblés de biens,
et les riches, il les a renvoyés les mains vides.

Il est venu en aide à Israël, son serviteur,
en souvenir de sa bonté,
comme il l'avait dit à nos pères,
en faveur d'Abraham
et de sa descendance pour toujours.

BÉNÉDICTION

Que soient bénis et protégés les jeunes d'ici et de partout, au nom du Père, et du Fils, et du Saint-Esprit.

Amen.

MUSIQUE

SUGGESTIONS MUSICALES

– BARTOK, Béla, *Danses populaires roumaines.*
– BRAHMS, Johannes, *Intermezzo en la majeur pour piano,* op. 118, n° 2.
– CHOPIN, Frédéric, *Nocturne en mi bémol majeur pour piano,* op. 9, n° 2.
– DVORAK, Anton, *Romantické kusy pour violon et piano,* op. 75 *(Pièces romantiques).*
– MOZART, Wolfgang Amadeus, *Alla Turca* de la *Sonate pour piano,* K. 331.
– MOZART, Wolfgang Amadeus, *Sonate en fa majeur pour piano,* K. 280.
– SCHUBERT, Franz, *Quatuor à cordes, D 810 (La Jeune Fille et la mort).*
– TELEMANN, Georg Philipp, *Sonate pour flûte à bec et basse continue en fa mineur,* extrait de *Getreue Music-Meister.*
– TURINA, Joachim, *En la zapateria,* op. 71 *(Chez le cordonnier),* suite pour piano.

Maturité

MUSIQUE

ANNONCE DU THÈME

L'oiseau écrit avec le vent,
le soleil avec les nuages,
l'adulte avec sa vie.

ÉVOCATION

Cueille cette frêle fleur, prends-la vite !
de crainte qu'elle ne se fane
et ne s'effeuille dans la poussière.

S'il n'y a point de place pour elle
dans ta guirlande,
fais-lui pourtant l'honneur du contact
douloureux de ta main ;
cueille-la.

Je crains que le jour ne s'achève
avant que je ne m'en doute
et que le temps de l'offertoire ne soit passé.

Bien que sa couleur soit discrète,
et que timide soit sa senteur,
prends cette fleur à ton service
et cueille-la tandis qu'il en est temps.

Tagore

À quoi comparer ma vie dans la trentaine,
sinon à ces premiers après-midi d'automne quand,
par clartés et nuages superposés, arrive lentement
la saison multicolore ?

À quoi comparer mes quarante ans quand tout
autour rivalisent travail et ambition, projets et
devoirs ? Suis-je un voilier hésitant que le vent malgré tout conduit au large ? Ces premières marées
d'automne sont-elles du bon temps pour la pêche ?

51

À quoi comparer mes cinquante ans, sinon à ces vergers et jardins qui, en octobre, regorgent des biens d'une saison de soleil et de vent? C'est le temps des récoltes. L'heure n'est-elle pas à la reconnaissance?

À quoi comparer mes soixante ans, sinon à ces « étés indiens » pour outardes de passage et vieux écureuils affairés avant que ne vienne l'hiver? Ne suis-je pas comme nos érables du Trécarré? Rien ne les fera céder, ni le « nordet », ni les ombres du soir, ni les premières neiges.

MUSIQUE

ÉVOCATION

Le temps vient, le temps va.
Le temps passe, le temps fuit.
À chaque jour suffit sa peine.
Aujourd'hui n'est pas encore demain.
Le temps est ton navire et non ta demeure.
La vie est un pont,
       n'y construis pas ta maison.

Au midi de tes trente ans, tu dis :
« Allons ! allons ! »
    À quarante ans : « Que le temps passe ! »
    À cinquante ans, quelque peu affolé par la
vitesse des heures, tu cries au firmament :
« Pas si vite, s'il vous plaît ! »
    À soixante ans ? Tu te surprends à regarder les
premières étoiles de la nuit.
    « Si j'ai la santé, comptez sur moi.
    Si je ne l'ai plus, je compte sur vous. »

Ta vie ressemble au Saint-Laurent qui, timide-
ment parti des Grands Lacs, traverse sa route d'îles
et de caps pour déboucher sur le golfe qui le conduit à l'océan.

Randonnées entre les rives.
Voyages en longueur,
mer en profondeur,
toujours, c'est ton cœur qui bat au large.

ÉVOCATION

Il en est du mitan de la vie comme du jour qui avance. Fera-t-il beau ? Fera-t-il mauvais ? Brume, neige ou nuages en vagabondages, tu n'es jamais certain. L'important, c'est que tu fasses confiance à ta journée pour qu'au soir, à la brunante, tu t'arrêtes paisiblement. Ô plénitude d'une vie consacrée à la durée !

Il en est du mitan de la vie comme du pain que tu viens d'apporter sur la table pour le repas de midi. Il a fallu – pour que le pain devienne nourriture et partage – la semence du grain, l'appel de la terre, l'invisible racine, la tige entêtée et l'épi broyé, moulu, « fariné ». Ainsi, pour que tu deviennes adulte, il aura fallu ta naissance, ton enfance, ton adolescence et ta jeunesse. L'essentiel de ta vie est d'y croire en misant sans cesse sur l'avenir, comme la tige, elle, mise sur l'épi.

Il en est encore du mitan de la vie comme de cet érable coloré qui, chaque année, connaît la splendeur de septembre avant les grands vents qui chasseront les feuilles. L'arbre va-t-il se décourager, pleurer, maudire l'automne, crier son désespoir ou sa vengeance à la forêt ? Mais non ! Mais non ! Il a appris, au passage des saisons, que les beautés d'aujourd'hui annoncent déjà celles de demain.

Malgré toute sa bonne volonté, malgré toutes ses expériences, l'adulte n'arrive pas facilement à la plénitude, à la maturité. L'automne, avec ses haltes, ses longues veillées, ses vents fous, ses grandes marées, le surprendra peut-être. La saison avait bien commencé, mais voilà que les enfants partent et que les amis se dispersent, sans compter les épreuves et les deuils. Inquiets, bouleversés : « Quand finirons-nous d'enfanter la vie ? »

Il est normal que la mélancolie et la nostalgie s'en mêlent.

Le temps est peut-être venu de s'asseoir pour un bilan des peines et des joies, et même pour un retour au temps des premières passions qui ont fait le désir accompli. Deux pays habitent l'âge de la maturité : la jeunesse qui l'a rendu possible et la vieillesse qui lui promet la sagesse.

Qui veut grandir doit savoir s'accommoder du meilleur et du pire.

MUSIQUE

ÉVOCATION

Et si nous avons grandi l'un à côté de l'autre, comment durer après tant et tant d'années ? Y a-t-il un secret pour que cette fleur aperçue au jardin un matin d'antan demeure toujours, à l'heure de mon cœur, la fleur privilégiée de toute ma vie ? Peut-on sans illusions demeurer optimistes ?

Vous êtes nés ensemble et ensemble
vous le resterez pour toujours.
Vous resterez ensemble quand les blanches ailes
de la mort disperseront vos jours.
Oui, vous serez ensemble jusque dans
la silencieuse mémoire de Dieu.
Mais qu'il y ait des espaces
dans votre communion,
Et que les vents du ciel dansent entre vous.

Aimez-vous l'un l'autre, mais ne faites pas
de l'amour une entrave :
Qu'il soit plutôt une mer mouvante
entre les rivages de vos âmes.

Emplissez chacun la coupe de l'autre,
mais ne buvez pas à une seule coupe.
Partagez votre pain, mais ne mangez pas
de la même miche.
Chantez et dansez ensemble, et soyez joyeux,
mais demeurez chacun seul.
De même que les cordes d'un luth sont seules,
cependant qu'elles vibrent
de la même harmonie.

Donnez vos cœurs,
mais non pas à la garde l'un de l'autre.
Car seule la main de la Vie
peut contenir vos cœurs.
Et tenez-vous ensemble,
mais pas trop proches non plus :
Car les piliers du temple s'érigent à distance,
Et le chêne et le cyprès ne croissent pas
dans l'ombre l'un de l'autre.

Khalil Gibran

56

Mais oui ! Mais oui ! L'important est de croire à l'amour et de vivre dans la douceur et la compréhension. L'adulte expérimenté sait que rien ne remplace le don de soi dans la gratuité.

Quand l'amour vous fait signe, suivez-le,
Bien que ses voies soient dures et escarpées.
Et lorsque ses ailes vous enveloppent, cédez-lui,
Bien que l'épée cachée dans son pennage
puisse vous blesser.
Et lorsqu'il vous parle, croyez en lui,
Malgré que sa voix puisse briser vos rêves
comme le vent du Nord saccage vos jardins.
Car, de même que l'amour vous couronne,
il doit vous crucifier.
De même qu'il est pour votre croissance,
il est aussi pour votre élagage.
De même qu'il s'élève à votre hauteur,
et caresse vos branches les plus légères,
qui tremblent dans le soleil.
Ainsi pénétrera-t-il jusques à vos racines
et les secouera dans leur attachement
à la terre.

Khalil Gibran

ÉVOCATION BIBLIQUE

Ouvrons ensemble le grand livre qui raconte l'histoire mouvementée d'un peuple appelé par Dieu à devenir adulte dans la foi. Écoutons surtout les avis sacrés du livre des *Proverbes* qui invitent chaque personne à se laisser éduquer par le Seigneur.

Mon fils,
n'oublie pas mon enseignement,
et que ton cœur observe mes préceptes.
Ils sont longueur de jours et années de vie,
et pour toi plus grande paix.
Que fidélité et loyauté ne te quittent pas.
Attache-les à ton cou,
écris-les sur la table de ton cœur.
Tu trouveras la faveur et seras bien avisé
aux yeux de Dieu et des hommes.
Fie-toi au Seigneur de tout ton cœur
et ne t'appuie pas sur ton intelligence.
Dans toute ta conduite sache le reconnaître,
et lui dirigera tes démarches.

Ne sois pas sage à tes propres yeux,
crains plutôt le Seigneur
et détourne-toi du mal.
Ce sera un remède pour ton corps,
un rafraîchissement pour tes membres.
Honore le Seigneur de tes biens,
des prémices de tes revenus,
et tes greniers seront remplis de blé
tandis que le vin débordera de tes pressoirs.
Ne rejette pas, mon fils,
l'éducation du Seigneur,
et ne te lasse pas de ses avis.

Pr 3, 1-11

L'adulte des temps nouveaux se souvient particulièrement de Jésus, qui ne cesse de donner sa vie à ses amis de tous les âges.

Là où est ton trésor, là aussi est ton cœur.

Mt 6, 21

Il n'est pas de plus grand amour que de donner sa vie pour ses amis.

Jn 15, 13

Il y a plus de bonheur à donner qu'à recevoir.

Ac 20, 35

En vérité, en vérité, je vous le dis, si le grain de blé qui tombe en terre ne meurt pas, il reste seul ; si au contraire il meurt, il porte du fruit en abondance. Celui qui aime sa vie la perd, et celui qui cesse de s'y attacher en ce monde la gardera pour la vie éternelle.

Jn 12, 24-25

Saint Paul vit cette expérience au temps où il s'entretient avec les Corinthiens :

Lorsque j'étais enfant, je parlais comme un enfant, je pensais comme un enfant, je raisonnais comme un enfant. Devenu homme, j'ai mis fin à ce qui était propre à l'enfant.

1 Co 13, 11

La vie d'une foi adulte n'est-elle pas justement la promotion du génie de l'enfance ? Savoir vivre pour Dieu dans la bonté et la loyauté. Jésus a dit :

Ce qui est dans la bonne terre, ce sont ceux qui entendent la parole dans un cœur loyal et bon, qui la retiennent et portent du fruit à force de persévérance.

Lc 8, 15

Personne n'allume une lampe pour la recouvrir d'un pot ou pour la mettre sous un lit ; mais on la met sur un support pour que ceux qui entrent voient la lumière. Car il n'y a rien de secret qui ne paraîtra au jour, rien de caché qui ne doive être connu et venir au grand jour.

Lc 8, 16-17

Les conseils de Paul aux Éphésiens abondent dans le même sens :

Autrefois vous étiez ténèbres, maintenant vous êtes lumière dans le Seigneur. Vivez en enfants de lumière. Et le fruit de la lumière s'appelle : bonté, justice, vérité. Discernez ce qui plaît au Seigneur. Ne vous associez pas aux œuvres stériles des ténèbres.

Ép 5, 8-11

Il s'agit ensemble de bâtir le corps du Christ, jusqu'à ce que nous parvenions tous ensemble à l'unité dans la foi et dans la connaissance du Fils de Dieu, à l'état d'adulte, à la taille du Christ dans sa plénitude.

Ainsi, nous ne serons plus des enfants, ballottés, menés à la dérive, à tout vent de doctrine, joués par les hommes et leur astuce à fourvoyer dans l'erreur. Mais, confessant la vérité dans l'amour, nous grandirons à tous égards vers celui qui est la tête, Christ. Et c'est de lui que le corps tout entier, coordonné et bien uni grâce à toutes les articulations qui le desservent, selon une activité répartie à la mesure de chacun, réalise sa propre croissance pour se construire lui-même dans l'amour.

Ép 4, 14-16

Aujourd'hui, hier, demain, seul l'amour peut unifier la vie.

Aime !
Aime coûte que coûte !

Aime l'amour. Fais aimer l'amour.
L'amour en soi. L'amour pour les autres.
L'amour toujours. L'amour à cause de Dieu.

L'amour vient de Dieu, et quiconque aime est né de Dieu et parvient à la connaissance de Dieu. [...] Dieu est Amour : qui demeure dans l'amour demeure en Dieu et Dieu demeure en lui.

1 Jn 4, 7.16

Celui qui aime Dieu, qu'il aime aussi son frère. Si nous nous aimons les uns les autres, Dieu demeure en nous, et son amour, en nous, est accompli.

1 Jn 4, 21.12

Le meilleur de l'amour se trouve peut-être dans le quotidien : dans les gestes du travail le plus humble, dans la répétition qui raconte silencieusement les tendresses du cœur habité. Ainsi la « femme de caractère », dont toute la vie est d'être attentive au meilleur de ses talents qu'elle offre aux siens, à la société, à ses amis :

Elle travaille pour son bien et non pour son malheur tous les jours de sa vie.
Elle cherche avec soin de la laine et du lin, et ses mains travaillent allègrement. [...]

*Elle ceint de force ses reins
et affermit ses bras. [...]
Elle met la main à la quenouille
et ses doigts s'activent au fuseau.
Elle ouvre sa main au misérable
et la tend au pauvre.
Elle ne craint pas la neige pour sa maisonnée,
car tous ont double vêtement. [...]*

Pr 31, 12-21

Il en est de même de l'homme appelé, lui aussi, à toutes sortes de travaux qui vont de la maison au bureau, à l'école, au centre hospitalier... Il lui arrive de multiplier les activités pour subvenir à tous les besoins de sa famille ; il se fera tour à tour menuisier, cuisinier, médecin ou simple manœuvre. Même ses nuits peuvent y passer. Mais l'adulte peut toujours compter sur son Dieu :

Venez à moi, vous tous qui peinez sous le poids du fardeau, et moi je vous donnerai le repos. Prenez sur vous mon joug et mettez-vous à mon école, car je suis doux et humble de cœur, et vous trouverez le repos de vos âmes.

Mt 11, 28-29

MUSIQUE

PSAUME

Le Seigneur est mon berger,
je ne manque de rien.
Sur de frais herbages il me fait coucher;
près des eaux du repos il me mène, il me ranime.

Il me conduit par les bons sentiers,
pour l'honneur de son nom.
Même si je marche dans un ravin d'ombre et de mort,
je ne crains aucun mal, car tu es avec moi:
ton bâton et ta canne, voilà qui me rassure.

Devant moi, tu dresses une table,
face à mes adversaires.
Tu parfumes d'huile ma tête,
ma coupe est enivrante.

Oui, bonheur et fidélité me poursuivent
tous les jours de ma vie,
et je reviendrai à la maison du Seigneur,
pour de longs jours.

Ps 23

PRIÈRE

Dieu de l'univers visible et invisible, maître suprême de tout ce qui s'appelle vie, fruits, récoltes et engrangements, toi qui « as tout disposé avec nombre, poids et mesure », toi qui, après l'éclatement du matin, as préparé la clarté des après-midi d'automne, toi qui rends nos existences fructueuses et les évalues avec compassion, fais que nos vies d'adultes soient pour les générations qui viennent un héritage qui les anime et les illumine.

Donne-nous le courage de la durée et la persévérance des fruits qui mûrissent, afin que d'autres vivent et durent à leur tour.

Nous te le demandons par Jésus Christ, et dans l'unité du Saint-Esprit, pour les siècles des siècles.

Amen.

MUSIQUE

ÉVANGILE

Il en est du royaume de Dieu dans nos vies d'adultes comme de ces champs et jardins d'automne qui débordent de fruits et de biens : le temps est venu de cueillir la récolte.

Il y a vraiment plus de bonheur à donner qu'à retenir.

Il en est de l'âge mûr comme du soleil de septembre avec sa lumière et la douceur de l'espace « encoloré ». Ce n'est pas parce que des nuages apparaissent ici et là sur la montagne ou parce que l'orage éclate qu'il faut arrêter d'espérer.

L'adulte avisé s'accommode autant de l'ombre que de la clarté.

MUSIQUE

PRIÈRE UNIVERSELLE

Dieu qui accordes à tous les âges le pain quotidien, nous te prions pour les adultes qui savent à quel point la vie demeure un défi et une exigence.

Nous te prions pour tous ceux et toutes celles qui assument des responsabilités, afin que leur action préserve la paix et la justice sociale.

Réponse: Seigneur, soutiens nos espoirs.

Nous te prions pour tous les travailleurs de métier de nos villes et de nos campagnes, afin que leur labeur signifie le bonheur de donner, le goût d'offrir et la joie de servir.

Nous te prions pour les éducateurs et les éducatrices, pour les femmes et les hommes de l'engagement social et familial, afin que leur zèle nous entraîne sur les chemins de la foi qui rend adulte dans le Christ.

Nous te prions pour les oubliés, les pauvres, les malheureux, les malades, afin qu'ils trouvent des cœurs compatissants.

Nous te prions pour chacun, chacune de nous, afin que, fidèles à ton appel, nous puissions non seulement aimer, mais aussi, en ton nom, faire aimer l'amour.

ACTION DE GRÂCE

Comme il est bon et gratifiant, Seigneur, de récapituler devant toi toutes nos années accumulées. Tu nous as donné vie et famille, un peuple à aimer, une humanité à pacifier ; tu nous appelles à faire de ta création un lieu de partage et de travail ; tu nous offres chaque jour les signes de ta présence en même temps que les promesses de ton salut.

Gloire te soit rendue à toi, Dieu Un et Trois ! Hosanna au plus haut des cieux ! Que l'Alliance commencée sur la terre soit accomplie au ciel !

NOTRE PÈRE

MAGNIFICAT

Avec Marie, femme de Galilée et de Judée, que viennent ici prier tous les adultes de l'humanité.

Mon âme exalte le Seigneur
et mon esprit s'est rempli d'allégresse
à cause de Dieu, mon Sauveur,

parce qu'il a porté son regard
sur son humble servante.

Oui, désormais, toutes les générations
me proclameront bienheureuse,
parce que le Tout-Puissant
a fait pour moi de grandes choses ;
saint est son Nom.

Sa bonté s'étend de génération en génération
sur ceux qui le craignent.

Il est intervenu de toute la force de son bras ;
il a dispersé les hommes à la pensée orgueilleuse ;
il a jeté les puissants à bas de leurs trônes
et il a élevé les humbles ;
les affamés, il les a comblés de biens,
et les riches, il les a renvoyés les mains vides.

Il est venu en aide à Israël, son serviteur,
en souvenir de sa bonté,
comme il l'avait dit à nos pères,
en faveur d'Abraham
et de sa descendance pour toujours.

BÉNÉDICTION

Que le Dieu tout-puissant et trois fois saint, fort et immortel, bénisse chacune de nos vies et la conduise au meilleur de ses accomplissements, lui qui est Père, Fils et Esprit.

Amen.

MUSIQUE

SUGGESTIONS MUSICALES

– BACH, Johann Sebastian, *Sonate en sol mineur pour violon et clavecin*, BWV 1020.
– CORELLI, Arcangelo, *Pastorale*, extrait du *Concerto grosso en sol mineur*, op. 6, n° 8.
– HAENDEL, Georg Friedrich, *Adagio*, de *Fireworks music*.
– HAENDEL, Georg Friedrich, *Largo alla siciliana*, de *Fireworks music*.
– MOZART, Wolfgang Amadeus, Les *Concertos pour violon*.
– PACHELBEL, Johann, *Canon* et *Gigue pour trois violons et basse continue en ré majeur*.
– PAGANINI, Niccolo, *Caprices pour violon*, op. 1.
– VERDI, Giuseppe, Les ouvertures d'opéras.

Vieillesse

MUSIQUE

ANNONCE DU THÈME

Admirables anciens, admirables anciennes
d'ici et de partout,
voici le temps du recueillement,
voici votre célébration.

CHANT (*Souvenirs d'un vieillard*)

Petits enfants, jouez dans la prairie,
Chantez, chantez le doux parfum des fleurs;
Profitez bien du printemps de la vie,
Trop tôt hélas! vous verserez des pleurs.

Refrain

Dernier amour de ma vieillesse,
Venez à moi, petits enfants;
Je veux de vous une caresse
Pour oublier, pour oublier mes cheveux blancs.

En vieillissant, soyez bons, charitables;
Aux malheureux, prêtez votre secours,
Il est si beau d'assister ses semblables:
Un peu de bien embellit nos vieux jours.

En vieillissant, j'ai connu la tristesse;
Ceux que j'aimais, je les ai vus partir...
Oh! laissez-moi vous prouver ma tendresse,
C'est en aimant que je voudrais mourir.

ÉVOCATION

Une tête qui penche, un œil qui voltige,
un pied qui hésite, une marche à petits
pas comptés, une main qui tremble,
un récit cent fois répété, une pensée
qui se scrute :
c'est lui, c'est elle,
au foyer, à la pension, à la maison,
au balcon ou sur le perron.
Elle se berce, il attend.
Elle écoute, il surveille.
Ils se parlent,
mais du bout des yeux.

Chaque jour les mêmes gestes.
Chaque jour la même vie.

Leurs cheveux ont pris peu à peu
la couleur de la neige
quand elle a neigé toute la journée.

Prostrés, engourdis, cloués au lit,
comment survivre ?

Parfois le cœur gronde et gémit.

Est-ce l'hiver ? est-ce l'été ?
Est-il midi ? est-il minuit ?

Au rythme des saisons et des fêtes,
les années accumulées se fractionnent :
les minutes, les secondes partent à la dérive.

Les jours se font de plus en plus gris,
le temps devient de plus en plus obsédant.

Les jeunes vont en bande.
Les anciens sont seuls.

Les jeunes disent : « Toujours ! »
Les anciens disent : « Déjà ! »

À quoi pensent-ils quand ils se bercent ?
Pourquoi racontent-ils les mêmes histoires ?
Pourquoi sont-ils si souvent délaissés ?

Non, je n'ai plus tellement envie d'aller, de venir, sinon en rêve : «Vieux rosier ne se transplante pas.» Surtout, «ne demande pas à un vieux rossignol des bois de changer de mélodie». «Au bout du temps, le bout de la vie »...
J'attends !

Je suis l'hiver des sapins enneigés : sapins-clochers, sapins courbés...
J'attends !

Enivré du désir de durer, j'écoute le bruit du temps qui me fuit...
J'attends !

J'attends, comme au fond du jardin l'arbre dénudé attend sereinement la fin de la saison.

Je suis prêt à devenir vieux, mais... seulement plus tard.

Il n'est pas facile de voir aller sa vie, de compter les absences, d'attendre les arrivées.

Il y a ceux qui sont déjà partis : des parents, des amis, mon mari, ma femme ou même mes propres enfants.

«Il n'est pas mort encore !»

Solitude. Ennui. Oubli.

Rien n'égale en longueur les boiteuses journées,
Quand, sous les lourds flocons des neigeuses années,
L'ennui, fruit de la morne incuriosité,
Prend les proportions de l'immortalité.
Charles Baudelaire

Les souvenirs remontent à la surface, tels les rochers à marée basse. La mémoire travaille le cœur, comme la chaleur travaille le bois.

À trop se souvenir,
on risque de s'exiler,
comme à coudre du vieux,
on perd son fil.

Il y a du verglas sur les ailes de mon moulin, et mon moulin tourne moins vite.

Je cherche les mots de mes phrases inachevées.

Ainsi s'enfuit la vie. Sur un pâtis de neige, la neige s'envole au vent.

71

Ma vie est comme une île,
une île au bout du pays,
une île oubliée
que chaque matin la mer ronge
jusqu'au jour où elle l'ensevelira à jamais.

La vieillesse est une arrivée au sommet
par sentiers et chemins entrecroisés.
Le marcheur aperçoit d'un seul regard
l'immensité de l'horizon.
Tout le paysage lui dit d'espérer.
Plus haute est l'altitude, plus belle est la clarté.
L'univers en plénitude !

La vieillesse ressemble à cet érable
couronné d'années,
debout au coin de l'allée qui mène à la maison.
La certitude de ses racines
lui permet des hivers stoïques.
Pourquoi aurait-il peur,
celui qui connaît depuis si longtemps
le secret des vents ?

Vieillesse est sagesse,
comme jeunesse est prouesse.
À chaque saison sa fierté !

Musique

Évocation

Ils ont raison, les poètes, les artistes, les jeunes,
les autres, ils ont tous raison de dire:

À vieille marmite, longue durée,
comme à vieille mule, freins dorés!

Vieux vin, meilleur vin.
Vieux puits, meilleure eau.

Au vieux violon, le son le plus beau.

Plus vieux est le bouc,
plus dure est la corne.

Les plus belles rides font les plus beaux sourires.

À cet âge, on a tous les âges.
N'est jamais vieux le cœur qui aime.

*La vieillesse et l'enfance sont les deux états les plus
profonds qu'il nous soit donné de vivre.*

Marguerite Yourcenar

*Et l'on voit de la flamme aux yeux des jeunes gens,
mais dans l'œil du vieillard on voit de la lumière.*

Victor Hugo

*Si j'étais Dieu,
j'aurais imaginé à l'envers le cycle de la vie.
Les hommes auraient commencé
leur existence par la fin;
ils seraient nés vieillards,
et, chaque jour, ils auraient rajeuni
de vingt-quatre heures.
En se couchant le soir, ils auraient pu dire:
«Demain je serai plus jeune, plus beau,
plus fort... »*

*D'étape en étape,
le vieillard serait entré dans la force de l'âge,
il serait devenu un jeune homme, puis un enfant.
Un beau jour, il se serait endormi pour toujours,
petit enfant inconscient, dans un berceau.*

Arthur Honegger

Frères et sœurs de partout,
de tout pays,
vieux époux, vieilles mamans,
vieilles amies de tant d'années,
routiers en retraite, compagnons,
vieux amis endurcis
        de discussions mal réussies
et de rivalités aimées malgré tout,
gens des fidélités consenties,
pionniers, fondateurs,
hommes et femmes de tous les métiers
        et de toutes les vocations,
soyez remerciés !

Nous voudrions vous nommer, chacun, chacune,
par votre nom.

Merci à vous, défricheurs d'horizons
et créateurs de clarté.
Vous êtes lampes de nos sentiers,
fontaines des eaux cachées de notre soif.

Oui, sachez ceci, anciens et anciennes
        de cette terre
de chaleur et de neige :
sans vous il n'y aurait ni nations ni maisons,

ni églises ni livres,
ni récits ni mémoire, ni même avenir.

Vos dévouements ont tissé nos existences ;
vous êtes la vérité du monde,
les racines de l'arbre, la source du ruisseau.
Vous êtes un témoignage vivant,
rappel et chaînon de l'expérience des siècles.
Vous avez peiné et travaillé ;
soyez bénis d'avoir aimé,
d'avoir aidé ceux et celles
à qui vous avez donné votre vie.

Tels les chênes de nos forêts,
par votre seule présence,
vos silences et même vos tremblements,
vous dites au vent saisonnier
la force qui vous habite et votre besoin de liberté.

        Ô vieillesse veilleuse
        sereine et lente !
        Ô terre ridée de labours
        endormis sous la neige !
        Ultime purification !
        Vieillesse-reposoir !

La valeur de la vie réside dans ce que vous êtes, et non dans ce que vous possédez ou dans ce que vous êtes capables de faire. Votre vie manifeste la continuité des générations et vous donne plus de recul pour juger les événements de l'heure et les nouvelles découvertes. Vous rappelez au monde la sagesse des générations antérieures, tout en apportant votre clairvoyance à la génération actuelle... Nous avons besoin de l'exemple de votre patience et de votre confiance. Nous avons besoin de voir en vous la maturité de l'amour, fruit d'une vie vécue dans la joie et la souffrance. Et nous avons encore besoin de votre sagesse, car vous pouvez nous rassurer dans les périodes d'incertitude. Vous pouvez nous être un stimulant à vivre selon les valeurs les plus élevées de l'esprit. De telles valeurs nous unissent aux êtres humains de tous les temps et ne vieillissent jamais.

Jean-Paul II à Vancouver, le 18 septembre 1984

MUSIQUE

ÉVOCATION BIBLIQUE

Il n'est pas sans signification que, dans l'imagerie chrétienne, Dieu soit si souvent représenté à la manière d'un vieillard à longue barbe, semblable à celui qui apparut un jour au prophète Daniel :

Je regardais, lorsque des trônes furent installés et un Vieillard s'assit : son vêtement était blanc comme de la neige, la chevelure de sa tête, comme de la laine nettoyée ; son trône était en flammes de feu, avec des roues en feu ardent.

Dn 7, 9

Même si la dignité du vieillard ne tient pas au grand âge et ne se mesure pas au nombre des années, même si la sagesse n'est pas nécessairement liée aux cheveux blancs, il demeure que nos livres sacrés ont une affection toute particulière pour les vieux patriarches, rois, prophètes, tels qu'Abraham, Sara, Moïse, Isaac, Jacob, Salomon, Syméon, Anne la prophétesse et d'autres encore.

Gratitude. Amour. Respect.

La couronne des vieillards est une grande expérience, et leur fierté la crainte du Seigneur.

Si 25, 6

Le jugement convient aux cheveux blancs, et aux anciens de savoir donner un conseil.

Si 25, 4

La sagesse convient aux vieillards, et aux gens honorés la réflexion et le conseil.

Si 25, 5

Rappelle-toi les jours d'autrefois, remonte le cours des années, de génération en génération, demande à ton père, et il te l'apprendra, à tes anciens, et ils te le diront.

Dt 32, 7

Job à son tour résume : *Interroge donc les générations d'antan, sois attentif à l'expérience de leurs ancêtres. [...] eux t'instruiront et te parleront, et de leurs mémoires ils tireront des sentences.*

Jb 8, 8-10

Nous pourrions même parler, à propos de la prière des anciens, d'une sorte de tendresse qui va jusqu'à la confiance folle :

Dieu, tu m'as instruit dès ma jeunesse,
et, jusqu'ici, j'ai proclamé tes merveilles.
Malgré ma vieillesse et mes cheveux blancs,
ne m'abandonne pas, Dieu :
que je puisse proclamer les œuvres de ton bras à cette
*   génération,*
ta vaillance à tous ceux qui viendront.

Ps 71, 17-18

Comme disait le *Qohélet*, il y a un temps pour enfanter et un temps pour mourir, un temps pour planter et un temps pour arracher. La vieillesse est un temps pour vérifier ses peurs et ses espoirs :

On a peur de la montée,
on a des frayeurs en chemin,
tandis que l'amandier est en fleur,
que la sauterelle s'alourdit
et que le fruit du câprier éclate ;
car l'homme s'en va vers sa maison d'éternité
et déjà les pleureuses rôdent dans la rue ;
– avant que ne se détache le fil argenté

et que la coupe d'or ne se brise,
que la jarre ne se casse à la fontaine
et qu'à la citerne la poulie ne se brise,
– avant que la poussière ne retourne à la terre,
selon ce qu'elle était,
et que le souffle ne retourne à Dieu,
qui l'avait donné.

Qo 12, 5-7

Les grands priants et poètes que sont Ézéchias, David, Job, disent leur réalité quotidienne au Seigneur :

> *Je suis courbé et tout prostré ;*
> *sombre, je me traîne tout le jour,*
> *car mes reins sont envahis par la fièvre,*
> *plus rien n'est intact dans ma chair.*
>
> *Je suis engourdi, tout brisé ;*
> *mon cœur gronde, je rugis.*
> *Seigneur, tous mes soupirs sont devant toi,*
> *et mes gémissements ne te sont pas cachés.*
>
> *Seigneur, ne m'abandonne pas.*
> *Mon Dieu, ne reste pas si loin.*
> *Vite ! À l'aide !*
> *Toi, Seigneur, mon salut !*
>
> Ps 38, 7-10.22-23

MUSIQUE

78

PSAUME

Parvenu à l'âge des espérances feutrées par le temps et les épreuves, lucide et confiant, il me reste quelques dévotions à mes amis du ciel ; il me reste cette nouvelle assurance qui est de croire que, loin de m'oublier, Dieu me veut, Dieu me désire avec toutes les limites de ma vie qui bascule vers ailleurs.

Seigneur, écoute ma prière,
prête l'oreille à mes supplications,
par ta fidélité, par ta justice, réponds-moi !
N'entre pas en jugement avec ton serviteur,
car nul vivant n'est juste devant toi...

En moi le souffle s'éteint,
la désolation est dans mon cœur.
J'évoque les jours d'autrefois,
je me redis tout ce que tu as fait,
je me répète l'œuvre de tes mains.
Je tends les mains vers toi ;
me voici devant toi, comme une terre assoiffée.

Vite ! réponds-moi, Seigneur !
Je suis à bout de souffle.
Ne me cache pas ta face,
sinon je ressemble à ceux
         qui descendent dans la fosse.

Dès le matin, annonce-moi ta fidélité,
car je compte sur toi.
Révèle-moi le chemin à suivre,
car je suis tendu vers toi.

Seigneur, délivre-moi de mes ennemis ;
j'ai fait un abri près de toi.
Enseigne-moi à faire ta volonté,
car tu es mon Dieu.
Ton esprit est bon,
qu'il me conduise sur un sol uni !...

Ps 143

ÉVOCATION BIBLIQUE

À Nicodème, venu le voir durant la nuit, Jésus explique que, même vieillis, un homme, une femme, peuvent retrouver vitalité et renaissance. Affaire d'esprit, affaire de cœur :

Ce qui est né de la chair est chair, et ce qui est né de l'Esprit est esprit.

Jn 3, 6

Qui n'a pas à la mémoire Syméon avec l'Enfant Jésus dans ses bras ? Le vieillard qui s'en va salue l'enfant qui vient. Toute sa vie, il a fait confiance à l'avenir et le voilà récompensé :

Maintenant, Maître, c'est en paix, comme tu l'as dit, que tu renvoies ton serviteur. Car mes yeux ont vu ton salut, que tu as préparé face à tous les peuples : lumière pour la révélation aux païens et gloire d'Israël ton peuple.

Lc 2, 29-32

Au même chapitre de la confiance audacieuse, pourquoi ne pas citer cet autre Syméon, le pape Jean XXIII qui, devenu octogénaire, écrit tout doucement :

Je ressens dans mon corps le commencement d'un certain trouble qui doit être naturel pour un vieillard. Je le supporte en paix, même si parfois il m'est un peu pénible, et même s'il me fait craindre quelque aggravation. Il n'est pas agréable d'y trop penser ; mais encore une fois, je me sens prêt à tout.

J'entre dans ma quatre-vingt-deuxième année. La finirai-je ? Tous les jours sont bons pour naître, tous les jours sont bons pour mourir.

Ma tranquillité personnelle, qui fait tant d'impression dans le monde, tient toute en ceci : demeurer dans l'obéissance comme je l'ai toujours fait, et ne pas désirer ou demander de vivre ne serait-ce qu'un jour au-delà du moment où l'âge de la mort doit venir m'appeler et me prendre pour m'emmener au paradis, comme j'en ai la confiance.

J'attends et j'accueillerai simplement et joyeusement l'arrivée de ma sœur la mort dans les circonstances où il plaira au Seigneur de me l'envoyer.

Prière

Dieu créateur et vivant rédempteur, aide-moi, je t'en prie, à voir plus clair dans ma vie et à croire que le grain de blé mis en terre aujourd'hui sera le pain de demain.

Au jour que tu voudras et comme tu le voudras, je souhaite que ton heure soit mon heure.

J'espère ton retour qui renouvellera la terre et les cieux, mon corps et mon cœur. Je t'attends comme au temps où, tout petit, à la maison, j'attendais le retour de mon père. Je t'attends plus qu'un veilleur n'attend l'aurore. Je t'attends comme l'hiver attend son printemps.

En tes mains, Seigneur,
je remets mon esprit.

Musique

Évangile

Il en est du royaume de Dieu comme d'un homme et d'une femme blanchis d'années et de travaux. Ils en ont vu et rencontré, des gens de toutes sortes, heureux et malheureux ! Ils en ont vécu, des événements joyeux et douloureux ! Ils en ont arraché dans leur vie ! Voici que le soir les surprend – à leur âge – à rêver d'un « pays neuf » où il n'y aura plus ni peine, ni angoisse, ni dispersion, ni abandon, mais simplement une « maison » pour tous ceux et toutes celles qui ont voulu croire à l'amour. Peut-être lisent-ils déjà sur le fronton de la porte entrouverte : *Maison du Père – Entrée gratuite.*

MUSIQUE

PRIÈRE UNIVERSELLE

Dieu, Seigneur éternellement fidèle, maître du temps et de la vie, qui veilles autant sur le vieillard que sur l'enfant, écoute nos prières et nos mots vieux comme le monde.

Nous te prions pour ceux et celles qui, depuis des années, donnent leur vie et leur cœur à semer du bonheur autour d'eux, afin que, par ta bonté souveraine, ils reçoivent en abondance la paix qui surpasse toute connaissance.

Réponse : Kyrie eleison

Nous te prions pour les sans-pain, les sans-maison, les sans-pays, les sans-amis, afin que ta richesse vienne au secours de leurs pauvretés.

Nous te prions pour les vieillards brimés, déportés, oubliés, afin qu'ils puissent goûter à la vertu du pardon et ainsi libérer leur esprit de toute amertume.

Nous te prions pour les personnes affligées par la maladie, l'âge, la dépendance, afin qu'elles trouvent le geste qui soutient, le regard qui rassure et le silence qui apaise.

Nous te prions pour les sages de tous les pays du monde, afin qu'ils ne cessent de répéter que la paix vaut mieux que la guerre, et que l'amour est plus fort que la mort.

ACTION DE GRÂCE

Alors je vis :
Et j'entendis la voix d'anges nombreux
autour du trône, des animaux
et des anciens.
Leur nombre était myriades de myriades
et milliers de milliers.
Ils proclamaient d'une voix forte :
Il est digne, l'agneau immolé,
de recevoir puissance, richesse, sagesse,
force, honneur, gloire et louange.
Et toute créature au ciel, sur terre,
  sous terre et sur mer,
tous les êtres qui s'y trouvent,
je les entendis proclamer :
À celui qui siège sur le trône et à l'agneau,
louange, honneur, gloire et pouvoir
pour les siècles des siècles.
[...]
Et les anciens se prosternèrent et adorèrent.

Ap 5, 11-14

NOTRE PÈRE

MAGNIFICAT

Avec sainte Marie, celle qu'on appelle depuis si longtemps Notre-Dame, chantons ce que Dieu fait en faveur des aînés et de leur descendance.

Mon âme exalte le Seigneur
et mon esprit s'est rempli d'allégresse
à cause de Dieu, mon Sauveur,
parce qu'il a porté son regard
sur son humble servante.

Oui, désormais, toutes les générations
me proclameront bienheureuse,
parce que le Tout-Puissant
a fait pour moi de grandes choses ;
saint est son Nom.

Sa bonté s'étend de génération en génération
sur ceux qui le craignent.

Il est intervenu de toute la force de son bras ;
il a dispersé les hommes à la pensée orgueilleuse ;
il a jeté les puissants à bas de leurs trônes
et il a élevé les humbles ;
les affamés, il les a comblés de biens,
et les riches, il les a renvoyés les mains vides.

Il est venu en aide à Israël, son serviteur,
en souvenir de sa bonté,
comme il l'avait dit à nos pères, en faveur
d'Abraham et de sa descendance pour toujours.

BÉNÉDICTION

Que vienne sur les personnes âgées de tous les pays du monde la bénédiction de Dieu, qui fit la vie durable et éternelle, lui qui est Père, Fils et Saint-Esprit.

Amen.

MUSIQUE

SUGGESTIONS MUSICALES

– HAENDEL, Georg Friedrich, *Ombra mai fu* (Célèbre *Largo*), extrait de *Serse*.
– LISZT, Franz, *Les Préludes*.
– MARTINI, Jean-Paul-Égide, *Plaisir d'amour*.
– MOLTER, Johann Melchior, *Andante* du *Concerto en ré majeur*.
– MOZART, Wolfgang Amadeus, *Adagio en mi majeur pour violon et orchestre*, K. 261.
– MOZART, Wolfgang Amadeus, *Adagio en do majeur pour flûte et harpe*, K. 315.
– STRAUSS, Johann, *Les Valses*.
– VIVALDI, Antonio, *Larghetto* du *Concerto pour violon*, op. 3, n° 9.

Printemps

MUSIQUE

ANNONCE DU THÈME

C'est le printemps
C'est du bon temps
Ce sont les fleurs
C'est le soleil
C'est la vie des nids
Le jour est clair
C'est la lumière
Alléluia.

ÉVOCATION

Aujourd'hui, par vous et avec nous,
la fête du printemps est proclamée.
        Nous annonçons le printemps
                avec ses bourgeons,
        ses feuilles, ses jardins, ses alléluias,
        ses fleurs, ses débordements d'eau,
                ses tiges et ses plants.

Célébrons le printemps avec ses promesses,
ses réalités, sa jeunesse,
                ses risques et ses folies...
Essayons d'apprendre par signes et symboles
la grande féerie du printemps, ce qu'il est,
                ce qu'il nous propose.
Plus et mieux que toute autre saison,
le printemps et surtout son mois de mai,
                si capricieux soit-il,
représente l'espérance à son meilleur,
la plénitude au summum du possible.

Le printemps est adolescence
et jeunesse des saisons,
certitude fleurie après le grand hiver blanc.

Avec tous les oiseaux de ce pays,
hirondelles, grives, merles et tous les autres ;

Avec tout ce qui vit et revit sous nos yeux,
en terre ou en région marine ;

Avec tous les cultivateurs, laboureurs, semeurs,
arboriculteurs, paysagistes, jardiniers et jardinières ;

89

Avec tous les urbains qui iront, à leurs heures,
s'asseoir et «flâner» dans le parc
pour voir arriver le printemps et sentir leurs lilas;

Avec les handicapés à la fenêtre
ou au balcon qui se réjouiront
du chant des oiseaux venant briser
la solitude de leurs longs jours;

Avec toute la création,
célébrons la saison perdue et retrouvée!
Célébrons le printemps, abondance de vie!
Célébrons le printemps vert
et la nature ressuscitée!

Recommencement des saisons!
Le printemps est la saison
du renouveau et de la délivrance.
La nature se libère.
L'homme éprouve une impression
de renouvellement possible, désirable.
Lorsque viennent les beaux jours,
on dirait que coule tout autour
une eau douce qui nous donne
le goût de la délicatesse,
de l'attention, de l'émerveillement.

Un appétit d'inconnu et de renaissance
réveille des facultés assoupies.
Quittant nos lourds manteaux d'hiver,
nous voudrions nous aussi nous délivrer
du poids des habitudes
et redevenir «légers».
Printemps subtil! Peut-être nous invite-t-il
à faire la «débâcle» du vieil homme en nous?
Peut-être nous invite-t-il
à devenir limpides et dégagés comme les eaux
des lacs et des rivières enfin libérées?

Le printemps!
	Fête de la terre.
	Fête de communion et de partage.
Le printemps multiplie les instants de communion.

Observer l'herbe des champs,
écouter la parole des arbres,
cueillir un pissenlit ou une tulipe,
sentir l'explosion de la terre,
ressentir le goût d'un printemps,
pour l'homme, c'est communier.
C'est communier à la racine d'un même arbre,
à la sève d'un même tronc
dont nous sommes les branches.

Le printemps touche aussi les humains.
Il n'est pas possible
que nous demeurions les seuls dans la création
à n'être pas changés par la grâce du printemps.
Il nous faut faire advenir le printemps des humains.
Faire advenir ce printemps,
c'est croire aux forces qui montent en nous,
c'est permettre l'éclosion des zones
de notre être demeurées encore endormies,
c'est prendre au sérieux certaines intuitions
à la fois fragiles et fortes comme une semence.

Le printemps de la nature arrive tout seul ;
le printemps des humains,
il faut le faire en offrant sa vie à l'humanité.

MUSIQUE

ÉVOCATION

Fête d'espérance,
dégel et débâcle,
goût de vivre,
le printemps exprime la vie
autant que l'on veut.

Avec notre poète Gatien Lapointe,
nous nous répétons...

L'Espérance du monde

Le jour commençait à grandir
Chacun reconnaissait son visage son paysage
En secret chacun parlait de vivre et d'aimer

Nous avons recouvert nos mains de terre tendre
Avons pesé le poids d'une journée
Avons appris la marche des saisons
Avons fait un chemin de l'instant à l'année
Avons semé des fleurs dans le bois de nos portes

Avons allumé un grand feu sur la montagne
Avons donné nos figures au fleuve
Avons établi les tables de la cité
Avons écrit des noms d'ici sur nos frontons
Avons rêvé avec le sapin et l'érable
Avons rempli d'eau les yeux du soleil
Avons caché un printemps sous chaque nuage
Avons pris en main les bêtes perdues
Avons fleuri le lit du premier couple
Avons étendu la rosée sur nos fenêtres
Avons balisé la nuit de blessures vives
Avons imaginé le grand œuvre du jour
Avons fait de nos corps un langage d'ici
Avons baptisé notre enfance de noms d'arbres
Avons jeté des graines sur chaque marée
Avons soufflé dans chaque nid d'oiseaux
Avons mis de la neige sur nos armes
Avons planté des lampes près du pain levant
Avons écrit notre âge sur la pierre nue
Avons juré éternel le premier amour

Nous continuons l'espérance du monde.

ÉVOCATION BIBLIQUE

Dans la Bible, le printemps signifie tour à tour
recommencement, émerveillement, fête
des semences, prémices et rites d'offrandes.
Fête cosmique ! Un souffle divin monte de la terre
et remplit l'univers. Dès le premier chapitre
du premier livre sacré, la *Genèse,* il est écrit
de notre premier printemps :

Dieu dit : « Que les eaux grouillent
de bestioles vivantes et que l'oiseau vole
au-dessus de la terre,
face au firmament du ciel. »
Dieu créa les grands monstres marins,
tous les êtres vivants et remuants
selon leur espèce, dont grouillèrent les eaux,
et tout oiseau ailé selon son espèce.
Dieu vit que cela était bon.
Dieu les bénit en disant :
« Soyez féconds et prolifiques,
remplissez les eaux dans les mers,
et que l'oiseau prolifère sur la terre ! »
Il y eut un soir, il y eut un matin.

Dieu dit : « Que la terre produise des êtres vivants
selon leur espèce :
bestiaux, petites bêtes, et bêtes sauvages
selon leur espèce ! »
Il en fut ainsi.
Dieu fit les bêtes sauvages selon leur espèce,
les bestiaux selon leur espèce
et toutes les petites bêtes du sol selon leur espèce.
Dieu vit que cela était bon.

Gn 1, 20-25

Printemps ! Fête et rencontre de Dieu !
Au livre d'*Osée,* le prophète, il est promis que Dieu
viendra à nous comme l'ondée, comme la pluie
du printemps qui arrose la terre.

Cf. Os 6, 3

Aussi au livre des *Proverbes,* la pluie
du printemps est comparable à la bienveillance
sur le visage royal de Dieu.

Cf. Pr 16, 15

De même, évoquons ce printemps galiléen
qui a souvent inspiré Jésus dans ses grandes

comparaisons : image du semeur et de la moisson,
des oiseaux et des fleurs des champs, de l'ivraie
et du grain de sénevé, du pasteur et de la brebis.
La terre palestinienne a façonné son imagination
et lui a suggéré les mots et les symboles pour dire
le Royaume. Aussi ne faisons-nous que suivre
son exemple lorsque nous tentons de redire
ses paroles avec le langage et les voix de notre pays.

Nous célébrons ainsi, en réalité et en paraboles,
Jésus mort et ressuscitant au printemps,
Jésus mystique et cosmique,
Jésus paru et disparu...,
qui nous attend pour un grand printemps,
l'éternel printemps dans l'univers transfiguré.

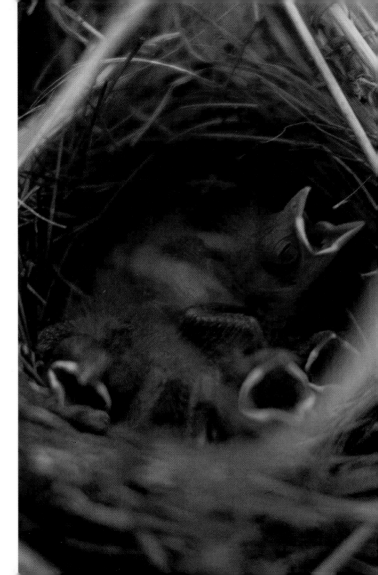

CHANT

Louange à toi

Refrain : Gloire et louange à toi, Seigneur.

– Vous toutes, les œuvres du Seigneur,
  bénissez le Seigneur.
– Et vous, montagnes et collines,
  bénissez le Seigneur.
– Et vous, plantes de la terre,
  bénissez le Seigneur.
– Et vous, sources et fontaines,
  bénissez le Seigneur.
– Et vous, mers et rivières,
  bénissez le Seigneur.
– Vous tous, les oiseaux dans le ciel,
  bénissez le Seigneur.
– Et vous, enfants des hommes,
  bénissez le Seigneur.

Cf. Dn 3, 57-88

ÉVOCATION BIBLIQUE

Il en est du Royaume de Dieu
comme d'un printemps tardif :
souvent il nous semble que rien ne se passe.
Et même, on dirait que le monde
est de plus en plus froid et vide de Dieu,
et que l'homme est terriblement seul...
Puis, tout à coup, quelques pousses discrètes,
un certain bourgeonnement intérieur
nous assurent que le printemps est là.
Il nous parle, il fait son nid en nous...
Inlassablement, imperceptiblement,
il a fait germer la terre,
créature de Dieu et maison de nos vies.

PSAUME

Nous avons parfois, au printemps,
la sensation de revivre
le temps de la création.
Alors nous vient le désir
de dire l'hymne des créatures.

Bénis le Seigneur, ô mon âme !

Seigneur mon Dieu, tu es si grand !
Vêtu de splendeur et d'éclat,
drapé de lumière comme d'un manteau,
tu déploies les cieux comme une tenture.

Il envoie l'eau des sources dans les ravins :
elle s'en va entre les montagnes ;
elle abreuve toutes les bêtes des champs,
les ânes sauvages étanchent leur soif.
Près d'elle s'abritent les oiseaux du ciel
qui chantent dans le feuillage.

Depuis ses demeures il abreuve les montagnes,
la terre se rassasie du fruit de ton travail :

tu fais pousser l'herbe pour le bétail,
les plantes que cultive l'homme,
tirant son pain de la terre...

Les arbres du Seigneur se rassasient,
et les cèdres du Liban qu'il a plantés.
C'est là que nichent les oiseaux,
la cigogne a son logis dans les cyprès.
Les hautes montagnes sont pour les bouquetins,
les rochers sont le refuge des damans.

Il a fait la lune pour fixer les fêtes,
et le soleil qui sait l'heure de son coucher.
Tu poses les ténèbres, et c'est la nuit
où remuent toutes les bêtes des bois.

Que tes œuvres sont nombreuses, Seigneur !
Tu les as toutes faites avec sagesse,
la terre est remplie de tes créatures.

Toute ma vie je chanterai le Seigneur,
le reste de mes jours je jouerai pour mon Dieu.
Que mon poème lui soit agréable !
et que le Seigneur fasse ma joie !

Ps 104

PRIÈRE

Seigneur, Dieu de l'univers,
célébrant la fête du printemps
et la vie verte que tu nous donnes
en abondance dans ce pays,
nous t'offrons cette saison
magnifique et généreuse.

Que l'Esprit de Jésus accompagne
et inspire nos semaines à venir
pour qu'en ces mois de renouvellement
nous croissions en charité.
Fais que notre émerveillement et nos prières
ne restent pas sans lendemain.

Que te bénissent et te remercient, Dieu créateur,
les prémices de nos labours et de nos semences.

Reçois, en cette célébration, l'hostie totale
de ta création exultante de vie.

Que ta parole vienne sur nous
comme une pluie féconde,
comme un soleil transformant.
De même que les bourgeons éclatent
en fleurs de lumière,
ainsi à nos yeux le mystère de ta présence
au centre de nous-mêmes
et dans toutes créatures.

Puisque tu es à la source
de notre ardeur et de nos désirs,
que notre bonheur soit à l'image du tien :
bonheur d'aimer, de donner
et de redonner en abondance.
Telle est, Seigneur, la prière
de notre printemps terrestre ;
nous te l'adressons par Jésus, ton Fils,
qui nous a devancés
au printemps éternel de la résurrection.

MUSIQUE

ÉVANGILE

Il en est du Royaume de Dieu
comme des bois de nos coteaux
et de nos Laurentides.

Pendant des mois, on les a vus dénudés
et comme sans vie à jamais.
Mais le printemps est venu
et la sève a monté ;
les bourgeons ont parlé aux feuilles
et les feuilles sont arrivées
et les pommiers ont refleuri.

Les arbres bruissent de nouveau
et les oiseaux du ciel s'y rassemblent
pour y faire leurs nids.
Ainsi en est-il du Royaume de Dieu.
Il vient comme le printemps,
là où n'était que vide, absence, froidure.
Le Royaume de Dieu,
il est au milieu de vous,
il est au-dedans de vous.

Cf. Mt 13, 31-32

MUSIQUE

PRIÈRE UNIVERSELLE

Souviens toi de tes filles
et de tes fils de partout :
qu'advienne en eux l'être nouveau
re-né dans l'Esprit.

Réponse : Souviens-toi, Seigneur, de ton amour.

Souviens-toi de ton peuple,
afin qu'éclairé par ta parole
et nourri par ton pain il puisse donner
le fruit que tu attends de lui.

Souviens-toi de ceux et de celles
qui font ton Église :
qu'ils soient comme autant
de bourgeons dans la vigne
que tu as choisie.

Souviens-toi de nos amis défunts
et de tous les disparus ;
à leur manière, ils ont espéré
la saison nouvelle de ton amour :
comble leur espérance.

Souviens-toi de nous tous,
pour qu'un jour nous soyons rassemblés
dans la même saison d'un paradis continu
avec Marie, ta mère, les apôtres,
les martyrs et les saints.

ACTION DE GRÂCE

Sois béni, Seigneur,
pour l'univers en printemps :
pour ces feuilles vertes,
pour cette herbe fraîche,
pour la lumière et l'air neuf que nous respirons.

Tu es Vie, Création, Puissance.
Tu es vie de l'arbre en fleur
et fleur de nos vies.
Tu es la branche qui porte du fruit
et qui en mange a le goût de vivre.
Tu es l'eau de la rivière
et qui s'abreuve à toi n'aura plus jamais soif.
Tu es le chant et la mélodie des oiseaux
et qui écoute ta parole voudra l'entendre encore.

Père de cette saison d'espérance
et de promesses, nous t'aimons
comme les champs aiment leurs semailles,
nous avons confiance en toi
comme le semeur en son champ de blé.

Loué sois-tu plus encore par ton Fils, Jésus,
qui est venu sur cette terre
pour inaugurer la saison de ton Royaume,
le temps du salut et de la délivrance.
Tu nous as appris à en discerner
les signes dans ses gestes,
dans sa parole, dans sa personne.
Juste avant de mourir,
comme grain mis en terre,
il nous a donné sa vie surabondante,
le pain et le vin de son indéfectible amitié.
C'est pourquoi nous te disons
avec lui « Notre Père... »

NOTRE PÈRE

MAGNIFICAT

Avec le retour des clartés et des promesses
de mai, à la manière de Marie de l'Annonciation,
chantons la joie de vivre dans l'espérance.

Mon âme exalte le Seigneur.
Mais pourquoi ?
À cause de Dieu mon Sauveur.

Réponse : Mon âme exalte le Seigneur,
Car il a fait pour moi des merveilles.

Qu'est-ce que Dieu a fait ?
Il m'a défiée, moi, la petite.
Il a porté son regard sur son humble servante.
Il a fait pour moi de grandes choses.

Ce n'est pas tout. Dieu a élargi son regard
à toutes les époques.
Sa bonté s'étend de génération en génération.
À bas les orgueilleux !
En haut les humbles !
C'est le monde à l'envers.

Depuis quand Dieu a-t-il lancé son défi ?
Depuis qu'il est venu en aide à Israël
et qu'il l'a dit à Abraham et à ses descendants.

Ce défi durera jusques à quand ?
Il durera en faveur d'Abraham et de sa
descendance aussi longtemps
que durera l'espérance du peuple de Dieu.

Gloire au Père, au Fils, et au Saint-Esprit,
dans les siècles des siècles.

BÉNÉDICTION

Que le Seigneur tout-puissant,
Père, Fils et Saint-Esprit, nous bénisse
et que sa bénédiction descende sur nous tous,
assemblés pour célébrer Dieu,
créateur du ciel et de la terre.

Amen.

MUSIQUE

SUGGESTIONS MUSICALES

– CORRETTE, Michel, *Sonates pour flûte et basse continue*, op. 13.
– DAQUIN, Louis-Claude, *Le Coucou*, extrait du premier livre des *Pièces de clavecin*.
– MOZART, Wolfgang Amadeus, *Allegro* du *Concerto pour flûte et harpe*, K. 299.
– MOZART, Wolfgang Amadeus, *Rondo* du *Concerto pour flûte et harpe*, K. 299.
– VIVALDI, Antonio, *Le Printemps*, extrait de *Les Saisons*.

Été

MUSIQUE

ANNONCE DU THÈME

Pourquoi l'été
qui va mûrir les blés ?
Pourquoi l'été
qui sèche les ruisseaux ?
Pourquoi l'été
au balcon d'en haut ?
Pourquoi l'été ?

ÉVOCATION

Aujourd'hui, par vous et avec nous,
la fête de l'été est proclamée.
  Nous célébrons l'été,
  sa chaleur, ses grands vents, sa lumière,
  ses ombres, ses orages, ses arcs-en-ciel,
  ses nuées et sa clarté.

Nous annonçons l'été
pour tous les vacanciers des plages et des lacs,
pour tous les habitués des balcons des villes
et des routes de ciment.
Nous annonçons l'été
aux malades, aux agressés de l'âge et de la vie.

Nous annonçons l'espérance
de réapprendre les rythmes du repos
et l'émerveillement des saisons gratuites.
Apprenons ensemble les significations mystérieuses
de cette saison parfois trop chaleureuse.
À travers l'écorce des mots bibliques,
devinons les fruits de l'Esprit du Seigneur
et créons en nous, en chacun de nous,
des espaces inédits et vastes comme le monde.
De ces temps doux et humides,
apprenons la soif des terres brûlées
et des lèvres séchées par le vent,
signe des âmes assoiffées d'infini.

L'été ?
C'est souvent aller, venir, entrer, sortir,
tourner, contourner ou retourner ;
c'est vivre en papillon, volage comme un nuage,
libéré comme un torrent de montagne.

105

L'été?
C'est la grâce des vacances,
l'espace pour les yeux et le cœur,
la terre sablée... ;
c'est le vent, la montagne, la mer, la voile,
les coquillages, le varech, la marche,
le silence, la nuit, les secrets, la pensée,
la contemplation, l'Esprit,
la brise qui chante,
la vie verte en plénitude ;

c'est une visite au jardin,
à la terre après la dernière ondée ;
c'est la senteur
de la terre meublée et du foin coupé ;
c'est le soleil sur les fraises, les framboises,
les groseilles, les mûres, les bleuets,
les cerises au cerisier.

Si le printemps fête ses racines,
l'été fête ses tiges.

L'été?
Ce sont les rides de l'eau, l'orage,
le tonnerre à tout casser,
la longue et lente nuit à ne pas dormir
à cause d'un soir trop humide...

Ah! l'été
comme une île au milieu de l'année
avec des désirs de partir
invitant à la croisière des âmes.
L'été, symbole du mitan de la vie,
saison d'ardeur et de chaleur remplie de secrets.

MUSIQUE

ÉVOCATION

Fin juin, juillet, août. Finie l'école!
Des enfants dans les rues,
des gens qui partent, des familles en route,
et d'autres, beaucoup d'autres
qui ne voyagent qu'en désir.
À chacun son univers.

Mois par excellence de la terre ensoleillée,
des champs et des lacs,
des plages et des montagnes imaginaires.
Bal des oiseaux sur la mer et sur le fleuve.

L'été ?
Fruit du printemps désespérément attendu,
espace agrandi, horizon neuf pour nos rêves.
Saison nu-pieds à ne rien faire,
ou plutôt à faire ce que l'on veut...
Les enfants dans l'eau,
les adultes au soleil.

François d'Assise dirait bien :
    Sœur Eau par qui tout naît et renaît,
    lacs et rivières d'été,
    faites que peu à peu
    ma prière s'élève vers mon Créateur
    comme la nuée du soir sur une mer pacifiée.

ÉVOCATION BIBLIQUE

Dieu dit : « Que la terre se couvre de verdure,
d'herbe qui rend féconde sa semence, d'arbres
fruitiers qui, selon leur espèce, portent sur terre
des fruits ayant en eux-mêmes leur semence ! »
Il en fut ainsi. La terre produisit de la verdure,
de l'herbe qui rend féconde sa semence
selon son espèce, des arbres qui portent des fruits
ayant en eux-mêmes leur semence selon leur espèce.
Dieu vit que cela était bon.

Gn 1, 11-12

Ce fut le premier été,
et depuis ce temps-là :

Les cieux racontent la gloire de Dieu,
le firmament proclame l'œuvre de ses mains.
Le jour en prodigue au jour le récit,
la nuit en donne connaissance à la nuit.
Ce n'est pas un récit, il n'y a pas de mots,
leur voix ne s'entend pas.
Leur harmonie éclate sur toute la terre
et leur langage jusqu'au bout du monde.

Ps 19, 1-5

Les Écritures nous invitent ainsi à célébrer l'été, ses nuits, ses jours, sa chaleur, ses mers et ses fleuves. Le Seigneur y apparaît comme un Dieu éternel, puissant, fort et miséricordieux.

Ne sais-tu pas, n'as-tu pas entendu ?
Le Seigneur est le Dieu de toujours,
il crée les extrémités de la terre.
Il ne faiblit pas, il ne se fatigue pas ;
nul moyen de sonder son intelligence,
il donne de l'énergie au faible,
il amplifie l'endurance de qui est sans forces.

Ils faiblissent, les jeunes, ils se fatiguent,
même les hommes d'élite trébuchent bel et bien !
Mais ceux qui espèrent dans le Seigneur
retrempent leur énergie :
ils prennent de l'envergure comme des aigles,
ils s'élancent et ne se fatiguent pas,
ils avancent et ne faiblissent pas !

Is 40, 28-31

Au livre des *Proverbes*, l'été signifie sagesse de Dieu.

La fourmi prépare en été sa provision.

Pr 6, 8

Qui recueille en été est un fils avisé

Pr 10, 5

CHANT

Rendez grâce au Seigneur

– Que la terre bénisse le Seigneur,
  Car éternel est son amour !
– Soleil et lune, bénissez le Seigneur,
  Car éternel est son amour !
– À lui gloire et louange d'éternité,
  Car éternel est son amour !
– Et vous, montagnes et collines,
  Car éternel est son amour !
– Et vous, sources et fontaines,
  Car éternel est son amour !
– Bénissez le Seigneur, plantes de la terre,
  Car éternel est son amour !
– Et vous, arbres et fleurs,
  Car éternel est son amour !
– Et vous, les vents et les marées,
  Car éternel est son amour !
– Bénissez le Seigneur avec les oiseaux,
  Car éternel est son amour !

Cf. Dn 3, 52-90

ÉVOCATION BIBLIQUE

Pour sa part, Jésus disait :

Du figuier apprenez la parabole :
les feuilles arrivent, l'été s'en vient.

Cf. Mt 24, 32

N'est-ce pas évocation d'été que sa rencontre
amicale avec la Samaritaine ?

Donne-moi à boire.

Jn 4, 7

Quiconque boit de cette eau-ci aura soif ;
mais celui qui boira de l'eau que je lui donnerai
n'aura plus jamais soif ;
au contraire, l'eau que je lui donnerai
deviendra en lui une source jaillissant
en vie éternelle.

Jn 4, 13-14

Une autre fois, Jésus dit cette parole de feu
qui a traversé les siècles :

Un seul verre d'eau à un enfant,
en mon nom, ne sera jamais oublié.

Mt 10, 42

Pour nous, le soleil et sa chaleur d'été ne
cessent de rappeler d'autres bons mots de Jésus :

Soyez parfaits
comme le Père qui est au ciel est parfait :
il fait lever son soleil
autant sur les méchants que sur les bons,
et tomber la pluie sur les justes et les injustes.

Mt 5, 48. 45

Ce que vous avez reçu gratuitement,
donnez-le gratuitement.

Mt 10, 8

Psaume

Alléluia !

Louez le Seigneur depuis les cieux :
louez-le dans les hauteurs ;
louez-le, vous tous ses anges ;
louez-le, vous toute son armée ;
louez-le, soleil et lune ;
louez-le, vous toutes les étoiles brillantes ;
louez-le, vous les plus élevés des cieux ;
et vous les eaux qui êtes par-dessus les cieux.

Louez le Seigneur depuis la terre :
dragons et vous tous les abîmes,
feu et grêle, neige et brouillard,

vent de tempête exécutant sa parole,
montagnes et toutes les collines,
arbres fruitiers et tous les cèdres,
bêtes sauvages et tout le bétail,
reptiles et oiseaux,
rois de la terre et tous les peuples,
princes et tous les chefs de la terre,
jeunes gens, vous aussi jeunes filles,
vieillards et enfants !

Qu'ils louent le nom du Seigneur,
car son nom est sublime, lui seul,
sa splendeur domine la terre et les cieux.

Alléluia !

PRIÈRE

Dieu des mers et des montagnes,
Dieu du vent et des fleurs,
Dieu de la gratuité et du pardon,
Dieu débordant d'amour
comme la chaleur d'été,
Dieu, douceur et présence
comme ton soleil qui brille
sur tous et chacun à la fois,

apprends-nous à marcher
pieds nus ou talons hauts
sur les routes de notre Galilée
et de notre Judée;

apprends-nous à marcher
dans les rues encombrées des semaines
comme dans les ruelles désertes
du dimanche matin,
à l'aube ou le soir, sur la plage de sable,
accompagnés d'un seul désir :
celui de t'aimer, toi et les tiens,
jusqu'au bout de toute saison.

MUSIQUE

ÉVANGILE

Quand vous voyez un érable
et que déjà son branchage devient tendre
et que ses feuilles poussent,
vous savez que l'été est proche.

Regardez les oiseaux du ciel :
vos fous de Bassan, vos goélands...
ils ne sèment ni ne moissonnent,
ni ne recueillent en des greniers,
et votre Père céleste les nourrit !
Ne valez-vous pas plus qu'eux ?

Instruisez-vous des rosiers de vos jardins,
comment ils grandissent :
ils ne peinent ni ne filent...
Ne vous inquiétez pas du lendemain :
demain s'inquiétera de lui-même.
À chaque jour suffit sa peine.

Venez à moi, vous tous
qui êtes las et fatigués.
Prenez sur vous mon joug,
car je suis doux et humble de cœur.
Vous trouverez du repos pour vos âmes.

Cf. Mt 6, 25-34 ; 11, 28-29 **113**

MUSIQUE

PRIÈRE UNIVERSELLE

Nous faisons mémoire, en tout premier,
du peuple de Dieu, pour qu'il soit, dans le monde
des nations, sel de la terre, lumière du monde,
chaleur d'amour et paix des peuples.

Réponse : Je t'en prie, Seigneur, écoute-nous, écoute-nous.

Nous faisons mémoire de tous les enfants
en vacances, pour qu'ils connaissent la gaieté
des joies gratuites et le repos des jeux partagés.

Nous faisons mémoire des oubliés de l'été,
des mis en croix à l'hôpital, des abandonnés de la
solitude urbaine et des cœurs brûlés par l'épreuve,
pour qu'ils trouvent ici ou là raison d'espérer et
raison de vivre.

Nous faisons mémoire des prisonniers, des
détenus de tous ces lieux à sécurité maximale, pour
qu'au creux de leur cellule ils apprennent le chaud
du pardon et que s'apaisent en eux les orages de la
colère.

Nous prions pour cette assemblée venue
partager l'évocation d'une saison contrastée
d'ombre et de lumière, pour qu'elle sache toujours
deviner le clair-obscur des chemins de la foi.

ACTION DE GRÂCE

Qu'exultent la terre
et les repos verts de nos étés ensoleillés !
Que jubilent la campagne
et tous ses champs !
Que les arbres des forêts
crient de joie pour le Seigneur !
Herbes et verdure, fleurs et fruits,
bénissez le Seigneur !

Reçois, Père, cette louange des saisons.
Que les cieux racontent
ta grandeur et ta gloire.
Que toutes les aurores le disent
à toutes les brunantes,
le jour à la nuit, le diurne au nocturne,
en plein air, en plein champ.

Tu es béni, Dieu de l'univers,
toi qui nous donnes le pain et le vin,
fruits des étés et du travail humain.
Accorde-nous, Seigneur,
de vivre et de mourir en accord avec la nature
pour te retrouver, un jour,
en terre nouvelle et cieux nouveaux,
au jardin de ta résurrection,
pour un été sans fin
avec ton Fils, Jésus, premier ressuscité,
et l'Esprit Saint, dans les siècles des siècles.

Notre Père

Magnificat

Avec le retour des longues soirées d'été,
il est bon de savoir lentement se recueillir
au bord de la nuit, à la manière de Marie.

Mon âme exalte le Seigneur.
Mais pourquoi ?
À cause de Dieu mon Sauveur.

Réponse : Mon âme exalte le Seigneur,
Car il a fait pour moi des merveilles.

Qu'est-ce que Dieu a fait ?
Il m'a défiée, moi, la petite.
Il a porté son regard sur son humble servante.
Il a fait pour moi de grandes choses.

Ce n'est pas tout. Dieu a élargi son regard
à toutes les époques.
Sa bonté s'étend de génération en génération.

À bas les orgueilleux !
En haut les humbles !
C'est le monde à l'envers.

Depuis quand Dieu a-t-il lancé son défi ?
Depuis qu'il est venu en aide à Israël
et qu'il l'a dit à Abraham et à ses descendants.

Ce défi durera jusques à quand ?
Il durera en faveur d'Abraham et de sa
descendance aussi longtemps
que durera l'espérance du peuple de Dieu.

Gloire au Père, au Fils, et au Saint-Esprit,
dans les siècles des siècles.

BÉNÉDICTION

Que le Seigneur tout-puissant,
Père, Fils et Saint-Esprit, nous bénisse,
et que sa bénédiction descende sur nous tous,
assemblés pour célébrer Dieu,
créateur du ciel et de la terre.

Amen.

MUSIQUE

SUGGESTIONS MUSICALES

– BACH, Johann Sebastian, *Allegro* du *Concerto en fa mineur pour clavecin*, BWV 1056.
– BACH, Johann Sebastian, *Fantaisie en sol majeur pour orgue*, BWV 572.
– CHOPIN, Frédéric, *Écossaises pour piano*, op. 72.
– IBERT, Jacques, *Le Vent dans les ruines*.
– VIVALDI, Antonio, *L'Été*, extrait de *Les Saisons*.

Automne

MUSIQUE

ANNONCE DU THÈME

Pourquoi l'automne
Si les feuilles s'envolent ?
Si les arbres sont seuls ?
Si les boisés sont vides ?
Pourquoi l'automne ?

ÉVOCATION

Aujourd'hui, par vous et avec nous,
la fête de l'automne est annoncée
à toutes les branches, à toutes les feuilles,
à tous les oiseaux, à tous les pays
du Nord et du Sud, de l'Est et de l'Ouest.

Pourquoi cette fête des feuilles ?
Elles étaient rouges et vivantes :
les voilà mortes et sales...
On dirait que l'automne se plaît
à multiplier les contradictions.

En tout premier,
une lumière douce et pacifiante,
des jours tendres, des couleurs chaudes.
Les feuilles n'en finissent pas de se parer...

Forêt de fées et de rêves !
Comme s'il fallait
que la lumière et les boisés,
que les nuages et le soleil
se surpassent en beauté
avant de nous conduire ailleurs.
Puis un coup de vent, une pluie folle,
et tout se défeuille.
Les arbres se vident, les jours s'abrègent,
les nuages se traînent dans les brumes.
Apparaissent les nids vides.

Automne !
Pèlerinage des feuilles en voyage
dans l'air et dans l'espace.
Dons et offrandes pour la purification
des prochains paysages.
Parmi les feuilles, souvent les plus belles
partent les premières.

Automne !
Une saison qu'on voudrait arrêter et savourer
jusqu'à la dernière goutte de soleil
sur la dernière feuille d'érable...
Comme un jardin
qu'on voudrait habiter à demeure,
mais qui se videra vite de ses couleurs...
Comme quelqu'un qu'on voudrait
retenir des mains,
mais qui devra partir...

À lui seul, l'automne symbolise la vie,
la vraie vie avec ses exaltations
et ses brusques dépouillements.
La maison remplie
qui tout à coup est déserte :
la visite est partie.
L'absence après la présence.
Le silence après les mots.
Il en faut si peu pour que tout se décharne
et tourne en tristesse et en abandon.
On dirait que chaque vie,
chaque bonheur doivent connaître,
comme l'automne,
ces moments de contrastes.

C'est déjà une manière de vivre et d'aimer
que d'accepter qu'il en soit ainsi :
qui consent à être périodiquement
comblé et purifié, exalté et angoissé,
peut devenir sage, réaliste et pacifié.

L'automne nous dit
l'ambiguïté des êtres et des choses.
Il mêle la clarté des matins
aux soirées assombries.
Il mêle le rouge et le noir,
l'abondance et le vide.
L'automne nous ressemble.
Nous y apprenons
l'humilité des passages difficiles
et des ruptures douloureuses.

L'automne qui dépouille les branches
et dévaste les jardins atteint l'homme
dans son instinct de propriétaire.
Un jour je possède,
mais un autre jour me dépossède.
« Vous n'êtes pas propriétaires »,
nous redit l'automne.
Et sans ce rappel salutaire,
l'hiver nous abîmerait.

Nos maisons, nos arbres, notre moi,
nos enfants, nos amis
ne nous appartiennent pas.
Vouloir les retenir,
c'est appauvrir l'univers.
Savoir les aimer durant leur voyage,
c'est vivre et les faire vivre.

MUSIQUE

ÉVOCATION

Voici le *Rondel d'automne* de notre poète Alfred DesRochers :

Le ciel est gris, le vent est froid, la terre est rousse ;
L'automne est revenu par septembre apporté,
Et les arbres, devant la mort du bel été,
Pleurent des larmes d'or et de sang sur la mousse.

Cherchant pour leurs ébats une plage plus douce,
Les outardes, au sud, s'en vont d'un vol pointé ;
Le ciel est gris, le vent est froid, la terre est rousse ;
L'automne est revenu par septembre apporté.

Mon misérable cœur a l'aspect de la brousse :
Chassés par le vent froid de la réalité,
Mes rêves les plus chers un par un l'ont quitté,
Et sur l'arbre d'amour se meurt l'ultime pousse.
Le ciel est gris, le vent est froid, la terre est rousse.

ÉVOCATION BIBLIQUE

Dans le livre sacré du *Lévitique*,
l'automne appelle l'oblation,
l'offrande, l'action de grâce.

Le Seigneur adressa la parole à Moïse :
« Parle aux fils d'Israël ; tu leur diras :
Les fêtes solennelles du Seigneur
sont celles où vous devez convoquer
des réunions sacrées...

En outre, le quinze du septième mois,
après avoir récolté les produits de la terre,
vous irez en pèlerinage
fêter le Seigneur pendant sept jours ;
le premier jour sera jour de repos,
le huitième jour sera jour de repos ;
le premier jour vous vous munirez
de beaux fruits, de feuilles de palmiers, de rameaux
d'arbres touffus ou de saules des torrents,
et vous serez dans la joie pendant sept jours
devant le Seigneur votre Dieu.

Vous ferez ce pèlerinage
pour fêter le Seigneur, sept jours par an ;
c'est une loi immuable pour vous d'âge en âge :
le septième mois vous ferez ce pèlerinage ;
vous habiterez sous la tente pendant sept jours ;
tout indigène en Israël doit habiter sous la tente,
pour que d'âge en âge vous sachiez
que j'ai fait habiter sous la tente les fils d'Israël,
lorsque je les ai fait sortir du pays d'Égypte ;
c'est moi, le Seigneur, votre Dieu. »

Lv 23, 1-2.39-43

Cette fête solennelle selon Dieu,
et réduite à cette heure de prière,
s'appelle pour nous : l'automne !

CHANT

Louange à toi

Refrain : Gloire et louange à toi, Seigneur.

– Vous toutes, les œuvres du Seigneur,
   bénissez le Seigneur.
– Et vous, cieux du Seigneur,
   bénissez le Seigneur.
– Vous tous, souffles et vents,
   bénissez le Seigneur.
– Et vous, nuits et jours,
   bénissez le Seigneur.
– Et vous, astres du ciel,
   bénissez le Seigneur.
– Et vous, lumière et ténèbres,
   bénissez le Seigneur.
– Et vous, montagnes et collines,
   bénissez le Seigneur.
– Et vous, mers et rivières,
   bénissez le Seigneur.

Cf. Dn 3, 57-88

ÉVOCATION BIBLIQUE

Pourquoi l'automne
et toute cette tapisserie vivante
d'arbres et de feuilles ?

Beauté, féerie,
gratuité des saisons d'abondance,
explosion de générosité du Créateur !
L'automne est aussi prière de nos yeux,
appel intérieur de l'Esprit
et invitation sereine à la contemplation.
Pourquoi l'automne ?

Dans le livre de l'*Apocalypse*,
le retour du Seigneur est évoqué
dans un langage surréaliste
de création illuminée et transfigurée.
Cet instant de gloire inaugurera
des temps nouveaux.
Il ne sera suivi d'aucune déchéance.

Alors la gloire n'aura plus
aucun goût de cendre et de mort.
Elle sera éternelle naissance,
éternel commencement.
L'automne à son plus beau
préfigurerait cette terre d'abondance
sous un soleil d'une éternelle beauté.
Ce qui faisait dire à l'apôtre Jacques :

> *Prenez donc patience, frères,*
> *jusqu'à la venue du Seigneur.*
> *Voyez le cultivateur :*
> *il attend le fruit précieux de la terre*
> *sans s'impatienter à son propos*
> *tant qu'il n'en a pas recueilli*
> *du précoce et du tardif.*

Jc 5, 7

L'important,
ce n'est pas tel instant qui passe,
    mais le temps qui dure.
L'important, c'est la vie de l'arbre
    et pas seulement l'épisode des feuilles.
L'important, c'est la bonté qui demeure
    à travers les saisons.

L'arbre qui va perdre ses feuilles
est déjà en train de préparer ses bourgeons,
lointaine annonce d'un prochain printemps.

    Fidélité et continuité de la vie !
    Fidélité de Dieu !
    Fidélité de son œuvre !
    Fidélité des saisons !

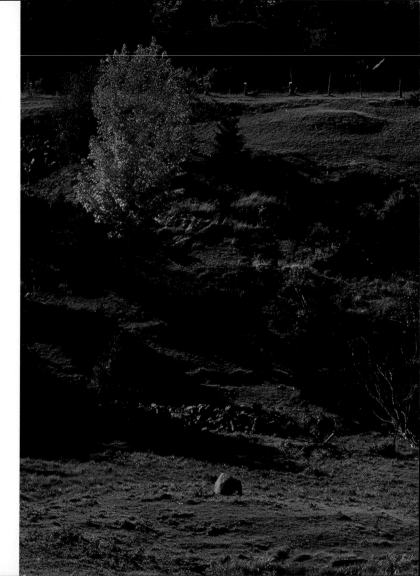

PSAUME

Louez Dieu dans son sanctuaire ;
louez-le dans la forteresse
    de son firmament.
Louez-le pour ses prouesses ;
louez-le pour tant de grandeur.

Louez-le avec sonneries de cor ;
louez-le avec harpe et cithare ;
louez-le avec tambour et danse ;
louez-le avec cordes et flûte ;
louez-le avec des cymbales sonores ;
louez-le avec les cymbales de l'ovation.

Que tout ce qui respire loue le Seigneur !

Alléluia !

Ps 150

PRIÈRE

Dieu des quatre saisons qui rythment
la vie de la terre et de l'univers,
Dieu de nos érables
et des feuilles à l'infini coloris,
Dieu de nos automnes
qui chantent la beauté superbe des paysages
avant le fatal dépouillement de demain,
fais-nous participer
au mouvement de ta grâce en nous
et à l'alternance de tes dons.

Donne-nous les mots qu'il faut, tes mots,
pour que nous puissions célébrer convenablement
cette saison de largesse et de tristesse,
de douceur et de violence,
d'abondance et de détachement.
Apprends-nous la vie intérieure et ses rites.
Garde-nous dans l'espérance de la saison parfaite
quand nous serons réunis avec ton Fils
pour la moisson des siècles et des siècles.

MUSIQUE

ÉVANGILE

Observez les lis des champs,
comment ils poussent :
ils ne peinent ni ne filent.
Regardez bien vos montagnes
et les feuilles de vos érablières.
Or, je vous dis que Salomon lui-même,
dans toute sa gloire,
n'a pas été vêtu comme l'une d'elles.
Que si Dieu colore de la sorte vos automnes
et des feuilles qui demain partiront au vent,
seront ramassées et brûlées au four,
combien plus le fera-t-il pour vous,
peuple d'ici !

Votre Père sait ce dont vous avez besoin.
La vie n'est-elle pas plus encore
que le paysage de vos forêts
et votre corps
plus que le vêtement enluminé de vos bois ?
Voyez les oiseaux,
outardes et fous de Bassan partis en voyage ;
votre Père les nourrira
pendant leur route transcontinentale.
Ne valez-vous pas plus qu'eux ?
Qui d'entre vous, en s'inquiétant,
peut ajouter une seule coudée
à la longueur de sa vie ?
Oui, cherchez le Royaume de Dieu
et tout cela vous sera donné par surcroît.

Cf. Lc 12, 23-31

129

MUSIQUE

PRIÈRE UNIVERSELLE

Nous faisons mémoire des ouvriers et des manœuvres à leur labeur, afin qu'ils sachent tailler, bûcher, travailler à la promotion de leur vie et de leurs idéaux.

Réponse : Je t'en prie, Seigneur,
écoute-nous, écoute-nous.

Nous faisons mémoire des écoliers et des jeunes regroupés en facultés et en unités d'apprentissage, afin qu'ils apprennent la joie du savoir et du partage.

Nous faisons mémoire de tous les démunis de cette saison contrastée, afin qu'ils retrouvent dans leur cœur la force de vivre.

Nous faisons mémoire des mourants de cette saison de la vie, afin qu'ils soient disponibles et confiants à l'heure de la récolte.

Nous faisons mémoire de tous ceux que l'automne afflige de souvenirs à cause de tant d'amis et de parents disparus, afin qu'en eux vive l'espérance promise.

ACTION DE GRÂCE

Sois béni et remercié,
Seigneur créateur et notre Père,
pour toutes les richesses accumulées
de ce début d'automne.

Sois béni et félicité
à cause de tous ces paysages colorés et enluminés,
à cause de nos bois, montagnes et jardins
transformés sous ta lumière unique.

Sois béni et admiré
pour l'éclat de ta beauté
dans la moindre des feuilles
et dans l'eau perlée de nos rivières.

Sois béni et loué
à cause des vents et des pluies
qui feront du bien à la terre
avant l'assoupissement et la purification de l'hiver.

Apprends-nous à vivre constants et fidèles
dans l'abondance comme dans la pauvreté,
dans la joie comme dans l'épreuve,
aux heures de foi et de lumière
comme aux heures de doute et d'angoisse.

À travers les contradictions de cette saison,
tu nous redis, Seigneur,
l'alliance mystérieuse entre la vie et la mort.
Nous nous souvenons qu'en Jésus, ton Fils,
tu as affirmé à jamais le triomphe de la vie
sur tout automne, toute souffrance, toute mort.
C'est pourquoi, conscients que c'est toi
qui nous guides par nos chemins
de gloire et de misère,
et qu'en définitive tout est mouvance et grâce,
nous te disons que tu es saint,
trois fois saint.

Que l'Esprit de Jésus nous rassemble tous
en une même saison d'amour et de partage.
Que ce même Esprit enseigne
tous les chrétiens et les pasteurs
à produire des fruits de justice et de paix.

Achève en chacun de nous,
Père, l'œuvre
qu'il a commencée.
Qu'il rende notre foi plus ferme, plus audacieuse
et notre charité plus active,
afin qu'à l'automne de notre vie
nous soyons admis, nous aussi,
à la fête de la moisson que tu prépares.
Fais qu'à travers le changement des saisons
nous ne cessions de croître
en l'amour de Jésus, ton Fils,
arbre de vie et vigne du salut,
jusqu'au jour où toute la création éclatera
dans la gloire de son retour
pour le couronnement des saisons et des saisons.

Notre Père

Magnificat

Avec l'automne qui vient et qui va,
arrêtons-nous pour dire, à la manière de Marie,
ce que la brunante inspire à la nuit.

Mon âme exalte le Seigneur.
Mais pourquoi ?
À cause de Dieu mon Sauveur.

Réponse : Mon âme exalte le Seigneur,
Car il a fait pour moi des merveilles.

Qu'est-ce que Dieu a fait ?
Il m'a défiée, moi, la petite.
Il a porté son regard sur son humble servante.
Il a fait pour moi de grandes choses.

Ce n'est pas tout. Dieu a élargi son regard
à toutes les époques.
Sa bonté s'étend de génération en génération.

À bas les orgueilleux !
En haut les humbles !
C'est le monde à l'envers.

Depuis quand Dieu a-t-il lancé son défi ?
Depuis qu'il est venu en aide à Israël
et qu'il l'a dit à Abraham et à ses descendants.

Ce défi durera jusques à quand ?
Il durera en faveur d'Abraham et de sa
descendance aussi longtemps
que durera l'espérance du peuple de Dieu.

Gloire au Père, au Fils, et au Saint-Esprit,
dans les siècles des siècles.

BÉNÉDICTION

Que le Seigneur tout-puissant,
Père, Fils et Saint-Esprit, nous bénisse
et que sa bénédiction descende sur nous tous,
assemblés pour célébrer Dieu,
créateur du ciel et de la terre.

Amen.

MUSIQUE

SUGGESTIONS MUSICALES

– BACH, Johann Sebastian, *Suite en ré majeur pour orchestre*, BWV 1068.
– HAENDEL, Georg Friedrich, *Concerto en si bémol majeur pour orgue*, n° 6 ; arr. pour la harpe.
– LŒILLET, Jean-Baptiste, *Sonates pour flûte à bec et basse continue*, op. 1-3.
– MOZART, Wolfgang Amadeus, *Concerto en la majeur pour clarinette*, K. 622.

Hiver

MUSIQUE

ANNONCE DU THÈME

Mais pourquoi l'hiver ?
Pourquoi l'hiver d'ici
si les enfants ont froid ?
si les oiseaux ont fui ?
si les rues sont sales ?
si la neige aveugle ?
si la glace est verglas ?
Pourquoi l'hiver ?

ÉVOCATION

Aujourd'hui, par vous et avec nous,
la fête de l'hiver est proclamée.
   Nous annonçons l'hiver
   avec toutes les routes,
   avec tous les chemins,
   avec toutes les cheminées de ce pays,
   avec tous les enfants,
   avec tous les gens des villes
   et des campagnes du Québec,
   du Grand Nord et d'ailleurs.
   Célébrons l'hiver, ses imprévus,
   ses gels et sa glace,
   ses vents et ses poudreries.
   Apprenons le sens spirituel
   de cette saison bien nordique.

   Ah ! comme la neige a neigé !
   Ma vitre est un jardin de givre.
   Ah ! comme la neige a neigé !
   Qu'est-ce que le spasme de vivre
   À tout l'ennui que j'ai, que j'ai !

Émile Nelligan   **137**

MUSIQUE

ÉVOCATION

Essayons de connaître ensemble
cette « blanche passion de nos grands hivers ».
À travers les longs espaces en blanc
quand « à la Chandeleur
la neige est à sa hauteur »,
aux prises avec les rafales et nos tempêtes,
célébrons la toute-puissance de l'espérance
avec tous ceux qui déneigent,
creusent des sentiers,
ouvrent les entrées des maisons et des portiques,
sans oublier, bien sûr,
les patins, les skis, les raquettes,
les traîneaux et les « sleighs ».

François d'Assise dirait bien :

Neige bonne et douce comme soie,
neige en flocons ou neige en papillons,
tu es tendre et belle à voir.
Bénie sois-tu !

L'hiver ! Temps de présence
et de communion plus intime
avec soi-même et avec les siens,
autour de la table et du feu.

Écoutons notre poète Alice Lemieux :

L'hiver

Tu ne sais pas l'hiver
si tu n'as pas veillé
sur tout son long sommeil
son grelottant sommeil.
Si tu n'as pas brûlé
ton front contre la vitre
pour mieux voir ses frimas.

Tu n'aimes pas l'hiver
si tu n'as pas tendu tes lèvres
aux baisers insolents des morsures du froid.
Si tu n'as pas gémi
sous l'étreinte du vent.
Si tu n'as pas perdu ta route
dans ses tournoyantes rafales
et si les bourrasques de neige
ne t'ont pas aveuglé
en scellant tes paupières.

Tu ne sais pas la blanche passion
et l'amour violent
de mon splendide hiver.

ÉVOCATION BIBLIQUE

Dans la Bible, l'hiver appelle tour à tour
la force de Dieu, sa parole vivante,
un temps d'intériorité,
le silence des espaces infinis,
la miséricorde blanche
qui couvre une multitude de péchés.

Si Jésus avait vécu en ce pays,
il aurait peut-être dit de belles paroles
sur les hommes seuls mais fidèles
qui, tous les matins et même la nuit,
sortent en plein froid
pour aller au bonheur des autres.
Si la Bible avait été écrite en ce pays de neige,
nous aurions peut-être comparé
la solitude courageuse et forte de Jean-Baptiste
à l'homme de nos hivers.

Au livre de *Job* comme dans le livre de *Siracide*,
l'hiver, c'est avant tout le gel, le givre et la neige,
la neige qui signifie la puissance de Dieu.
Telles sont les œuvres du Seigneur.

Quand il dit à la neige :
« Tombe sur la terre » [...]
il met sous scellés la main de chacun
pour que les hommes qu'il a faits
prennent conscience.
La bête rentre en sa tanière
et se tapit dans son gîte.
L'ouragan, lui, sort de sa cellule,
et de la bise vient le gel.
Au souffle de Dieu se forme la glace
et les étendues d'eau se prennent.

Jb 37, 6-10

Par son ordre il précipite la neige,
il dépêche les éclairs exécuteurs de son jugement.
C'est pourquoi s'ouvrent les réserves,
et les nuages s'envolent comme des oiseaux.
Dans sa grandeur il durcit les nuages
qui se pulvérisent en grêlons...
À sa volonté souffle le vent du sud
ainsi que l'ouragan du nord
et le tourbillon du vent.
Comme des oiseaux qui descendent,
il répand la neige,
comme la sauterelle qui s'abat, elle tombe.

La beauté de sa blancheur émerveille l'œil,
et quand elle tombe le cœur est ravi.
Comme du sel sur la terre
il déverse le givre
qui gèle et devient des pointes d'épines.
Le vent froid du nord souffle
et gèle la glace à la surface de l'eau.
Sur toute nappe d'eau il s'abat,
et comme d'une cuirasse la revêt.

Si 43, 13-20

Une autre raison biblique de fêter l'hiver,
malgré ses froids et ses surprises,
serait selon Isaïe, Isaïe l'oriental,
la neige de pluie, la neige du Liban,
tout à la fois proche et mystérieuse.
Comme Dieu.

La neige protège la terre.
Elle descendra, fondra,
travaillera à la régénération du sol.
Une fois descendue, la neige ne remonte plus.
Elle fait son œuvre.
Telle la Parole de Dieu.

C'est que les cieux sont hauts,
par rapport à la terre :
ainsi mes chemins sont hauts,
par rapport à vos chemins,
et mes pensées, par rapport à vos pensées.
C'est que,
comme descend la pluie ou la neige,
du haut des cieux,
et comme elle ne retourne pas là-haut
sans avoir saturé la terre,
sans l'avoir fait enfanter et bourgeonner,
sans avoir donné semence au semeur
et nourriture à celui qui mange,
ainsi se comporte ma parole
du moment qu'elle sort de ma bouche :
elle ne retourne pas vers moi sans résultat,
sans avoir exécuté ce qui me plaît
et fait aboutir ce pour quoi
je l'avais envoyée.

Is 55, 9-11

Enfin la neige, dans les Livres Saints encore,
implique une bonté visuelle à ne pas négliger.
Transfiguré, ressuscité, le Christ y apparaît
en vêtement blanc comme neige.

Cf. Mc 9, 3 ; Ap 1, 14 ; Dn 7, 9

CHANT

Louange à toi

Refrain : Gloire et louange à toi, Seigneur.

– Ô vous, les œuvres du Seigneur,
  bénissez le Seigneur.
– Ô vous, souffles et vents,
  bénissez le Seigneur.
– Ô vous, froidure et ardeur,
  bénissez le Seigneur.
– Ô vous, rosées et giboulées,
  bénissez le Seigneur.
– Ô vous, gel et froidure,
  bénissez le Seigneur.
– Ô vous, glaces et neiges,
  bénissez le Seigneur.

Cf. Dn 3, 55-88

ÉVOCATION BIBLIQUE

Si, dans les psaumes,
la neige bénit le Seigneur,
c'est peut-être aussi
qu'elle est un merveilleux signe,
le signe blanc de la miséricorde souveraine.

Comme la miséricorde divine,
la neige vient d'en haut et couvre tout.
Ainsi, Dieu pardonne et efface toutes nos misères.
Neige et bordées tombent à l'improviste,
doucement, comme de la laine.
Parfois il y en a beaucoup,
parfois presque trop.
Telle la miséricorde de Dieu
qui nous arrive toujours en abondance.

PSAUME

Aie pitié de moi, mon Dieu,
selon ta fidélité ;
selon ta grande miséricorde
efface mes torts.
Lave-moi à grande eau de ma faute
et purifie-moi de mon péché.
Car je reconnais mes torts,
j'ai sans cesse mon péché devant moi.
Contre toi, et toi seul, j'ai péché,
ce qui est mal à tes yeux, je l'ai fait,
ainsi tu seras juste quand tu parleras,
irréprochable quand tu jugeras.

Voici, dans la faute j'ai été enfanté
et, dans le péché,
conçu des ardeurs de ma mère.
Voici, tu aimes la vérité dans les ténèbres,
dans ma nuit,
tu me fais connaître la sagesse.
Ôte mon péché avec l'hysope et je serai pur ;
lave-moi, et je serai plus blanc
que la neige.

PRIÈRE

Dieu, créateur tout-puissant
des lointaines montagnes
et des vastes prairies enneigées de ce pays,
maître des temps et des espaces
qui sais tous les hivers du monde par cœur,
fais qu'à travers la célébration
de ces mois imprévisibles, durs et difficiles,
nous apprenions la fierté dans la durée
et le courage d'être, comme ton Fils, forts et fidèles
jusqu'au printemps de notre résurrection
en Jésus, Seigneur et Roi des saisons.

MUSIQUE

ÉVANGILE

Il en est du Royaume de Dieu
comme d'un homme de ce pays qui,
voyant venir l'hiver,
irait couper son bois et labourer sa terre.
Arrivent vents et poudrerie :
c'est à perte de vue
silence et montagnes blanches.
Pourtant, sans que l'homme ne sache trop comment,
la terre travaille et prépare son printemps...
Fini l'hiver,
la terre montrera racines et tiges,
puis de l'herbe, des fleurs et des feuilles,
et des fruits pour toute l'année.

Cf. Mc 4, 26-29

MUSIQUE

PRIÈRE UNIVERSELLE

Nous faisons mémoire du peuple de Dieu,
afin qu'il soit, dans l'univers des nations,
miséricorde et espérance de ceux qui ont froid.

Réponse : Je t'en prie, Seigneur,
écoute-nous, écoute-nous.

Nous faisons mémoire des enfants
et de tous les amis de l'hiver,
afin qu'ils nous apprennent la joie de vivre
en saison difficile.

Nous faisons mémoire de ceux que l'hiver accable :
malades, personnes âgées, immigrants venus
des pays du soleil, afin que chacun trouve
à son tour réconfort et chaleur.

Nous faisons mémoire de toutes ces femmes
seules, solitaires et pauvres,
afin qu'au creux de l'hiver soient trouvés
des sentiers qui les mènent aux autres.

Nous faisons mémoire des communautés
et des pays divisés par les conflits,
isolés par les guerres froides
ou par le feu des combats,
afin que partout s'affermissent les signes
de rapprochement, de dégel et de paix.

ACTION DE GRÂCE

Que le Seigneur soit avec nous,
et nous avec lui.

Il est bon de te féliciter et de t'admirer,
toi, Dieu de nos vies et de ce pays,
Dieu de nos Laurentides
et Dieu de nos Rocheuses enneigées.
Tu es puissant, total et fort.
Nous venons à toi
en cette saison rude et tenace,
un peu comme les enfants
qui marchent sur la glace vers leur père :
bras tendus, confiants et déjà heureux.
De même que le froid nous fait désirer la chaleur,
ainsi nos misères appellent ta miséricorde.

Levant les yeux sur ces immenses étendues d'hiver,
demeures passagères de nos vies,
nous aspirons au printemps éternel
et nous proclamons
le retour de ton Fils ressuscité.

Nous attendons ta venue, Seigneur,
comme chaque hiver
nous espérons le printemps.

Souviens-toi, Père, de ton Église.
Que ton Esprit accompagne ceux qui la font
et ceux qui la guident,
pour que chacun s'y retrouve
et n'ait jamais froid.

Nous attendons ta venue, Seigneur,
comme chaque hiver
nous espérons le printemps.

Le souvenir de ta mort, Jésus,
nous réconcilie avec toute mort,
car tu es Vie et Résurrection.

Nous attendons ta venue, Seigneur,
comme chaque hiver
nous espérons le printemps.

Accueille nos défunts.
Ils sont partis déjà.
Qu'ils reçoivent lumière et vie auprès de toi.

Nous attendons ta venue, Seigneur,
comme chaque hiver
nous espérons le printemps.

Par le même Jésus, avec lui et en lui,
réunis par l'Esprit, nous disons à toi, Père,
que depuis toujours nous appelons
notre Père, **notre Père qui es aux cieux...**

NOTRE PÈRE

MAGNIFICAT

Avec l'hiver qui nous veut forts et résolus,
prions à la manière de Marie, celle qui fut humble
et vigilante.

Mon âme exalte le Seigneur.
Mais pourquoi?
À cause de Dieu mon Sauveur.

Réponse: Mon âme exalte le Seigneur,
Car il a fait pour moi des merveilles.

Qu'est-ce que Dieu a fait ?
Il m'a défiée, moi, la petite.
Il a porté son regard sur son humble servante.
Il a fait pour moi de grandes choses.

Ce n'est pas tout. Dieu a élargi son regard
à toutes les époques.
Sa bonté s'étend de génération en génération.
À bas les orgueilleux !
En haut les humbles !
C'est le monde à l'envers.

Depuis quand Dieu a-t-il lancé son défi ?
Depuis qu'il est venu en aide à Israël
et qu'il l'a dit à Abraham et à ses descendants.

Ce défi durera jusques à quand ?
Il durera en faveur d'Abraham et de sa
descendance aussi longtemps
que durera l'espérance du peuple de Dieu.

Gloire au Père, au Fils, et au Saint-Esprit,
dans les siècles des siècles.

BÉNÉDICTION

Que le Seigneur tout-puissant,
Père, Fils et Saint-Esprit, nous bénisse
et que sa bénédiction descende sur nous tous,
assemblés pour célébrer Dieu,
créateur du ciel et de la terre.

Amen.

MUSIQUE

SUGGESTIONS MUSICALES

– ALBINONI, Tomaso, *Adagio* de la *Sonate pour violons et basse
continue en sol mineur*.
– BACH, Johann Sebastian, *Largo* du *Concerto en fa mineur pour
clavecin*, BWV 1056.
– BACH, Johann Sebastian, *Sicilienne*, extrait de la *Sonate en mi
bémol majeur pour flûte et clavecin*, BWV 1031.
– MOZART, Wolfgang Amadeus, *Concerto en sol majeur pour flûte*,
K. 313.
– VIVALDI, Antonio, *L'Hiver*, extrait de *Les Saisons*.

TABLE DES MATIÈRES

MARQUIS

Montmagny, Qc
septembre 1993